Tina B. Tessina

# Wenn nicht jetzt, wann dann?

*Dieses Buch widme ich Maggie, Sylvia, Isadora,*
*Joan, Victoria, Carrie, Deni, Bonnie, Robin –*
*meinen Gefährtinnen und langjährigen*
*Freundinnen, meinen treuen Zuhörerinnen,*
*die mir Geborgenheit geben, mit mir lachen*
*und mir eine unerschöpfliche Quelle der Freude sind.*
*Und der nachfolgenden Generation –*
*Amanda und Helia.*

*Euch allen verdanke ich es, dass mein Leben schön ist.*

Tina B. Tessina

# Wenn nicht jetzt, wann dann?

*Frauen ab 40: souverän, sexy und selbstbestimmt*

*Aus dem Amerikanischen übersetzt von Sabine Schilasky*

mvg Verlag

**Bibliografische Information der Deutschen Bibliothek**
Die Deutsche Bibliothek verzeichnet diese Publikation in der Deutschen Nationalbibliografie; detaillierte bibliografische Daten sind im Internet über http://dnb.ddb.de abrufbar.

Die gebundene Ausgabe erschien unter der ISBN 3-478-73010-4


Titel des Originals: The Ten Smartest Decisions a Woman Can Make After Forty
Aus dem Amerikanischen übersetzt von Sabine Schilasky



Umschlaggestaltung: Coverdesign Uhlig, Augsburg
Satz: Redline GmbH, J. Echter
Druck und Bindearbeiten: Ebner und Spiegel, Ulm
Printed in Germany 07036/090504
ISBN 3-636-07036-3

# Inhalt

# Vorwort

In jedem Buch steckt immer viel Hilfe von Dritten. So habe auch ich vielen Menschen zu danken, die mich unterstützten.

Zuallererst möchte ich Laurie Harper danken, meiner Agentin, die mir der Himmel geschickt haben muss. Sie hat unermüdlich für mich gekämpft. Laurie, du bist ein Schatz!

Dann danke ich Dick O'Connor und Michael Dougherty von Renaissance Books. Es war mir ein Vergnügen, wieder mit euch zu arbeiten, und ich bin froh, Fachleute wie euch zu Freunden zu haben.

Ich danke Amanda Pisani, die eine hervorragende und kompetente Lektorin ist. Lisa Lenthall und Jesús Arellano verdanke ich den wunderbaren Buchumschlag und das Layout der Originalausgabe.

Meiner langjährigen Sekretärin Ruth Campbell danke ich für ihre Geduld, ihre Nervenstärke, ihr Engagement und ihre Zuverlässigkeit.

Meinem lieben Ehemann und besten Freund Richard gebührt mein Dank dafür, dass er mit einer Engelsgeduld erträgt, von mir vernächlassigt zu werden, während ich nichts als Schreiben im Kopf habe. Ich weiß mein Glück zu schätzen, einen hilfreichen und liebenden Mann wie dich an meiner Seite zu haben.

Ich danke den Autoren von ASJA* – Ihr habt mir Antworten auf alle meine Fragen gegeben.

---

* American Society of Journalists and Authors (amerik. Verband der Journalisten und Autoren), *Anm. d. Übers.*

Außer auf meine Familie konnte ich auf zahlreiche Freunde und Freundinnen zurückgreifen, die mich mit ihrer Zuneigung und ihren Ermutigungen unterstützten und dafür sorgten, dass bei allem gelegentlichen Verdruss der Spaß an meiner Arbeit überwog: Ich danke den Frauen, die ich in der Widmung nannte, sowie Eddie Bialack, David Groves, Glen McWilliams, Bill Mueller und Riley K. Smith (wir sollten uns dringend mal wieder auf einen Kaffee im „Beverly's Vintage Tea Leaf" oder zum Mittagessen in Cindys „The Coffee Cup" treffen).

Einleitung

# Erwachsensein: Die Freiheit, Entscheidungen zu treffen

> Ehe wir es uns versehen, sind wir in der Lebensmitte angekommen ... Und wir genießen eine wunderbare Freiheit. Das ist etwa sehr Positives.*
>
> *Doris Lessing*

Wenn man um die vierzig ist, ändern sich die Erwartungen, die man an sein Leben stellt. Dieses Alter markiert eine Art Mittelpunkt. Psychologen sprechen von einer „Midlife-Crisis" – allerdings nur in Bezug auf Männer. Glaubt man der populärwissenschaftlichen Literatur, so werden Männer plötzlich von einem unkontrollierbaren Verlangen heimgesucht: etwa sich ein neues, sportlicheres Auto zu kaufen oder die ungefähr gleichaltrige Ehefrau wegen einer deutlich jüngeren Frau zu verlassen. Und was geschieht mit den Frauen um vierzig? Diejenigen, die das Älterwerden fürchten, sehen ihrem vierzigsten Geburtstag voller Panik entgegen. Die meisten je-

* frei aus dem Amerikanischen

doch, die ihr bisheriges Leben dem Ehemann und den Kindern oder der eigenen Karriere gewidmet haben, entdecken für sich vollkommen neue Möglichkeiten – ohne mit dieser Entdeckung hausieren zu gehen. Mit vierzig kann man sein Leben aus einer neuen Perspektive betrachten. Es gibt nach wie vor Ziele, die man erreichen will, doch es lässt sich nicht länger leugnen, dass wir alle nicht jünger werden. Die Zeit ist gekommen, die bisherigen Prioritäten kritisch zu überprüfen und in Einklang mit seinen wahren Wünschen zu bringen. Sobald einem das gelungen ist, schwindet die Angst vor dem vierzigsten Geburtstag und schafft Raum für sich neu bietende Freiheiten und Möglichkeiten.

Die Mehrzahl der Frauen registrieren um fünfundvierzig herum die ersten Anzeichen für die beginnenden Wechseljahre, und viele Frauen fragen sich bereits mit vierzig, welche Wirkungen die Menopause auf sie haben wird. Falls man nicht gerade zu den wenigen Frauen gehört, die fest entschlossen sind, biologische Gegebenheiten mittels medizinischer Hilfe auszuschalten und noch Jahre nach Beginn der Wechseljahre ein künstlich befruchtetes Ei auszutragen, schwindet die Möglichkeit, Kinder zu bekommen und sich elterlicher Verantwortung zu stellen, mit rasantem Tempo.

## Gesellschaft im Wandel

Frauen in der Mitte des Lebens waren immer schon einschneidenden körperlichen Veränderungen ausgesetzt. Heute müssen sie darüber hinaus mit gravierenden gesellschaftlichen Veränderungen zurechtkommen. In unserem viel gerühmten Zeitalter des technologischen Fortschritts und der Mobilität haben sich Frauen um die vierzig wiederholt als Pionierinnen auf dem Gebiet sozialen und technologischen Wandels hervorgetan – sei es freiwillig oder unfreiwillig. Sie haben eine bessere Ausbildung als ihre Mütter und Großmütter, verfügen zumeist über eine berufliche Laufbahn außerhalb der eigenen vier Wände, und viele können sich sogar einer Karriere rühmen, von der ihre weiblichen Vorfahren nicht einmal zu träumen wagten. Heutzutage verfügt eine vierzigjährige Frau über eine Menge Lebenserfahrung, die auch beinhaltet, eigene Entscheidungen zu treffen, für die man ganz allein verantwortlich ist. Eines gilt sowohl für die allein erziehende Mutter, die Selbstständige als auch für die erfolgreiche Angestellte: Sie muss zukunftsorientiert denken und kann sich technischen Neuerungen nicht versperren. Wenn Sie also Ihr Leben lang Entscheidungen getroffen haben, warum brauchen Sie dann ein Buch wie dieses hier? Ganz einfach: weil es niemandem leicht fällt, richtige Entscheidungen zu fällen, ganz gleich wie die bisherige Biografie verlaufen ist. Ich habe während der vergangenen fünfundzwanzig Jahre mit Frauen jeder Altersgruppe gearbeitet, sei es während meiner Lehrtätigkeit an Colleges, als Therapeutin oder Leiterin zahlreicher Workshops. Die mit Abstand häufigste Frage, die ich zu hören bekam, war: „Woher weiß ich, ob meine Entscheidungen die richtigen sind?"

In meinem Buch über die zehn klügsten Entscheidungen, die eine Frau unter vierzig treffen kann, habe ich etwas geschrieben, das auch für die Frau über vierzig gilt:

> Selbst den gebildetsten und klügsten Köpfen fällt es bisweilen schwer, Entscheidungen zu treffen, egal ob es sich um kurzfristige oder langfristige Veränderungen handelt. Viele andere fühlen sich ausge-

sprochen unwohl dabei, überhaupt entschieden aufzutreten. Nun wurden zwar schon unzählige Bücher darüber geschrieben, inwieweit Männer sich unter Druck gesetzt fühlen, wenn sie Entscheidungen fällen müssen, und welche Auswirkungen das auf sie hat – Stresssymptome, Herzinfarkte und andere physische und psychische Probleme wurden als Folge von Entscheidungszwang diagnostiziert. Dagegen wissen wir so gut wie gar nichts darüber, wie sich der Entscheidungsdruck auf Frauen auswirkt. Dank der Flut an technischen Neuerungen ist unser Leben schneller und komplizierter geworden als das der vorangegangenen Generationen.

Die meisten Frauen, die wir als Kinder kannten – einschließlich unserer eigenen Mütter – hatten eine ganz klare Vorstellung davon, wie ihr Leben als Erwachsene aussehen würde: Sie würden Hausfrauen und Mütter sein. Diese Rollen waren damals gesellschaftlich vorgezeichnet. Wie sich im Nachhinein herausstellte, waren diese Frauen die Pionierinnen, die heute auf ein Leben mit Kindern und Karriere zurückblicken. Sie sind die Schlüsselgeneration, die am eigenen Leib erfahren musste, was es heißt, wenn irgendwo zwischen Teenageralter und Erwachsenenalter sämtliche überlieferten Rollenmodelle verworfen und durch neue ersetzt werden!

Mit vierzig bietet sich endlich die Gelegenheit, die eigenen Bedürfnisse etwas mehr in den Vordergrund zu rücken. Die Kinder sind groß geworden und brauchen nicht mehr die stete Aufmerksamkeit der Eltern. Berufstätige Frauen haben ihre Stellung gefestigt und gelernt, auf ihre Kompetenz zu vertrauen. Und wahrscheinlich erkennen viele am Beispiel ihrer eigenen Eltern oder älteren Verwandten, dass irgendwann eine Zeit kommt, in der man nicht mehr die gleichen Möglichkeiten und Freiheiten wie im Moment genießt. Den Frauen über vierzig, die in meine Praxis kommen, ist ein grundlegendes Bedürfnis gemein: Sie wollen jenes Potenzial in sich nutzen, das über Jahre hinweg ignoriert wurde. Vierzig zu werden heißt, sich zu fragen: Worum geht es in meinem Leben eigentlich? Befriedigt mich meine Karriere wirklich? Wie werde ich mich als alter Mensch fühlen? Werde ich zufrieden sein mit meinem Leben? Um diese Fragen positiv beantworten zu können, muss man lernen, die richtigen Entscheidungen im richtigen Augenblick zu treffen.

## Wir können die Zukunft nicht voraussagen

Wenn wir mit vierzig etwas begriffen haben, dann ist es das, dass wir die Zukunft nicht voraussehen können. Mit jedem Abschnitt unseres Lebens machen wir vollkommen neue Erfahrungen. Unsere Rollen und Beziehungen unterliegen permanenter Veränderung. Sobald wir das Gefühl haben, eine Rolle sicher zu beherrschen, uns mit unserer Arbeit auszukennen oder unseren Beziehungen Stabilität verliehen zu haben, verschiebt sich irgendein Glied im Muster. Wir müssen eine neue Ordnung finden – und das funktioniert nur mittels neuer Entscheidungen oder Umentscheidungen.

Singles, die sich bisher vornehmlich auf Karriere und Freunde konzentrierten und munter durch die Weltgeschichte reisten, empfinden eventuell eine plötzliche Sehnsucht danach, sich endgültig niederzulassen und Familienanschluss zu haben. Allein erziehende Mütter, deren Kinder flügge geworden sind, entdecken auf einmal eine ungekannte Freiheit. Wer verheiratet ist und immer berufstätig war, freut sich wahrscheinlich auf die Rente und die viele Zeit zu zweit und schmiedet eifrig Pläne. Letztere können durchaus auch angstbelastet sein, sofern die finanziellen Umstände nicht eben rosig sind. In diesem Fall ist es höchste Zeit, das zukünftige Auskommen zu sichern. Egal welches dieser Modelle auf Sie zutrifft, sie alle fordern neue, kluge Entscheidungen, oft sogar solche, die man nie zuvor ins Auge gefasst hat.

Wir erinnern uns lebhaft an Telefone mit Wählscheiben – heute kaufen wir im Internet ein. Wer früher viel unterwegs war, erledigt seine Arbeit heute vom Laptop aus, wie überhaupt die Arbeit am Computer zur Selbstverständlichkeit geworden ist. Wer mit den rasanten Entwicklungen unserer Zeit mithalten (oder sich gegen sie wehren) will, muss neue Entscheidungsformate finden.

Mit den Anforderungen, die der unaufhaltsame technische Fortschritt an uns stellt, verändern sich auch jene, denen wir im Haushalt, im Beruf und im Privatleben gewachsen sein müssen. Wer sich davon bisweilen überfordert fühlt, wer glaubt, dass all diese Neuerungen uns den Blick für das große Ganze rauben, kann sicher sein, mit diesem Gefühl nicht allein zu stehen. Weil wir uns unermüdlich auf jene Dinge konzentrieren, die wir heute erledigen müssen, um für morgen vorbereitet zu sein, neigen wir dazu, andere Aspekte schmerzlich zu vernachlässigen, was uns mitunter in ernste Krisen stürzt.

Wenn Sie dem Rat dieses Buches folgen und Zeit investieren, Ihren mentalen Standort im Leben zu bestimmen und für sich herauszufinden, in welche Richtung es weitergehen soll, werden Sie wertvolle Einsichten gewinnen, wie Sie Ihr eigenes Leben für Sie und die Menschen, die Ihnen wichtig sind, befriedigender und Gewinn bringender gestalten können.

Dafür bedarf es der Berücksichtigung einiger grundlegender Faktoren, die zu diesem Zeitpunkt Ihres Lebens eine wichtigere Rolle spielen denn je:

1. ZUKUNFTSSICHERUNG. Die Sicherheit der eigenen Zukunft zu planen, sofern dies nicht bereits geschehen ist, bekommt jetzt absolute Priorität. Wie wir im sechsten Kapitel sehen werden, impliziert dies, finanzielle Ratschläge einzuholen und zu lernen, wie man das eigene Geld verwaltet – ein Aspekt, auf den Frauen „eines gewissen Alters" denkbar schlecht vorbereitet sind. Geldangelegenheiten sind vielen Frauen fremd, verursachen Unbehagen. Aber es ist nicht „nur" Geld, worum es hier geht. Wir müssen sicherstellen, dass unser Lebensstil, unsere Einstellungen und Gewohnheiten kompatibel sind mit unserem Wunsch, während der kommenden Jahre in Gesundheit die Ausbeute dessen zu genießen, was wir uns erarbeitet haben. Die Fallbeispiele in den folgenden Kapiteln illustrieren, wie Sie wirksame Entscheidungen für Ihre Zukunftssicherung fällen.
2. ROLLENWECHSEL. Um die vierzig erkennen die meisten Frauen, dass sich ihre Rolle innerhalb der Familie wandelt. Viele Frauen müssen nun die Pflege alter und kranker Angehöriger übernehmen – gleich nachdem ihre Kinder endlich dem Stadium entwachsen sind, in dem sie sie rund um die Uhr brauchten. Kaum dass eine Belastung weniger wird – ganz verschwindet sie nie! –, wächst eine andere. Um allen Anforderungen und uns selbst gerecht zu werden, müssen wir Entscheidungen treffen, die für uns richtig und für unsere Familien tragbar sind. Dabei dürfen

wir niemals außer Acht lassen, in welch umfassendem Maße diese Entscheidungen unser zukünftiges Leben beeinflussen werden. Die nachfolgenden Seiten bieten Orientierungshilfen, wie Sie sich den neuen Anforderungen stellen und zugleich Ihr eigenes Leben im Gleichgewicht halten beziehungsweise es erstmals ins Gleichgewicht bringen.

3. ZUFRIEDENHEIT. Nach Jahren, die Sie dem Balanceakt zwischen Kindern, Beruf und der Pflege verwandtschaftlicher Beziehungen gewidmet haben, stellen viele Frauen fest, dass sie nicht mehr wissen, welches ihre eigenen Bedürfnisse sind. Nun ist die Zeit gekommen, die Entscheidungen zu treffen, die notwendig sind, damit Sie jene erfüllenden Erfahrungen machen, von denen Sie Ihr zukünftiges Leben einst übervoll wähnten. In diesem Buch gebe ich einige Hilfestellungen, wie Sie Ihr Leben so einrichten können, dass Sie mehr Befriedigung darin finden.
4. GENIESSEN LERNEN. Vielleicht ist mancher Frau über die Jahre die Fähigkeit zur Heiterkeit verloren gegangen – Spaß in einfachen Dingen zu finden. Für einige bedarf es für die Rückkehr zu einem unbeschwerteren Ich nicht mehr als einer Änderung ihrer Einstellung. Andere hingegen müssen sich bewusst für eine Relativierung ihrer Ziele entscheiden. Die folgenden Kapitel lehren Sie, Entscheidungen zu treffen, die Ihnen zu mehr Freude und Genuss im Leben verhelfen.

# Kluge Entscheidungen für die Frau über vierzig

Wir alle kennen den Unterschied zwischen Frauen, die kluge, überlegte Entscheidungen fällen, und jenen, die sich vom Leben herumstoßen lassen. Zwischen Frauen, die trotz aller Widrigkeiten und herben Schicksalsschläge positiv bleiben, und anderen, denen das Leben scheinbar alles gibt, und die es dennoch nicht schaffen, auch nur halbwegs glücklich zu werden.

Kennen wir nicht auch Frauen, die gern andere die Entscheidungen für sie treffen lassen? Sich brav nach dem richten, was ihre Ehemänner oder sonstigen Angehörigen ihnen raten, immerzu nur das tun, was von ihnen erwartet wird? Wie glücklich werden diese Frauen? Und was fangen sie an, wenn einmal niemand in der Nähe ist, der sich um ihre Belange „kümmert"? Natürlich verläuft unser Leben reibungsloser, wenn wir mit den Menschen konform gehen, die uns wichtig sind. Allerdings müssen wir damit rechnen, dass unsere Selbstachtung leidet, wenn wir auf Dauer darauf verzichten, unsere Entscheidungen selbst zu treffen. Über kurz oder lang fühlen wir uns unbedeutend und ohnmächtig.

Denken wir über die Frauen in unserem Bekanntenkreis nach, erkennen wir ziemlich schnell den Unterschied zwischen jenen, die über ihre Belange selbst bestimmen, und jenen, die nie recht wissen, was sie tun sollen. Wir alle sind hin und wieder unsicher, was die Richtigkeit unserer Entscheidungen betrifft. Erst wenn wir von Anfang an berücksichtigen, welches Resultat wir mit unseren Entscheidungen erzielen wollen, wächst unsere Sicherheit.

Ab dem vierzigsten Lebensjahr treten Frauen in einen Abschnitt ein, der mehr persönliche Freiheiten, aber auch mehr Eigenverantwortung bereit hält. Die Lebensumstände verändern sich und mit ihnen ändert sich die angestammte Rolle innerhalb der Familie. Die Kinder brauchen ihre Mutter nicht mehr rund um die Uhr; an ihre Stelle treten oft alternde Eltern, die der vermehrten Zuwendung bedürfen. Zugleich realisieren Frauen über vierzig erstmals, dass die Zeit, die ihnen verbleibt, nicht unendlich ist. Viele fühlen sich plötzlich einsam, isoliert und überfordert.

Vielleicht finden sie keine Befriedigung mehr in dem Beruf, den sie seit vielen Jahren ausüben – etwa weil sie schon zu lange dabei und inzwischen ausgebrannt sind. Oder sie haben das Bedürfnis, ihre Erfahrungen weiterzugeben, anderen beizubringen, was sie sich an Wissen erarbeitet haben.

Mittlerweile sind wir lange genug auf der Welt, um die grundlegenden Dinge im Leben zu meistern. Vielen reicht es jetzt nicht mehr, ihren Alltag ausschließlich an materiellen Dingen und den üblichen Pflichten aufzuhängen. Sie sind auf der Suche nach etwas Neuem, Sinnvollerem. Sie fragen: „Was ist mir in meinem Leben wichtig?“ oder „Ich habe alles, was ich mir immer gewünscht habe. Warum scheint es mir trotzdem nicht genug?“

Als Therapeutin sind mir diese Fragen gerade von reiferen Frauen zuhauf gestellt worden. Sie sind für mich gleichsam zum Symptom geworden, das allen Frauen gemein ist, die lernen müssen, über sich selbst zu bestimmen. Diese Frauen sind an einem Scheitelpunkt in ihrem Leben angelangt, an dem sie herausfinden müssen, was ihnen wirklich wichtig ist. Dafür müssen sie häufig ihre Ziele neu überdenken, erkennen, was ihnen wirklich etwas bedeutet. Ihre dringlichste Aufgabe besteht darin, vollkommen andere Entscheidungen zu fällen als bisher. Wie gut wir diese Aufgabe meistern, entscheidet darüber, wie befriedigend und lohnend unser restliches Leben verlaufen wird. Aus Erfahrung wissen wir, dass wir nicht alles kontrollieren können, was uns widerfährt. Aber wie wir auf die Geschehnisse um uns herum reagieren, unterliegt durchaus unserer Kontrolle. Wer gelernt hat, trotz Veränderungen, überraschender Wendungen und unvorhersehbarer Umstände einen klaren Kopf zu bewahren, und weiß, was für die eigene Person gut und richtig ist, versteht es, jede Hürde zu meistern.

Wir können unsere Ziele zu jedem Zeitpunkt neu stecken, aktiv Sorge tragen, dass es uns gut geht – körperlich, emotional, finanziell und sozial. Jetzt ist die Gelegenheit gekommen, lang gehegte Träume zu erfüllen und das Beste aus unserem Leben zu machen.

## Eigene Maßstäbe definieren

Obwohl der Feminismus manche Erfolge zu verzeichnen hat, werden auch in unserem Kulturkreis Frauen immer noch häufiger nach ihrem Aussehen beurteilt als nach ihren Fähigkeiten. Sollte eine Frau in exponierter Stellung sowohl attraktiv als auch erfolgreich sein, zielen die positiven Kommentare nach wie vor in erster Linie auf ihr Erscheinungsbild. Kaum jemand interessiert sich dafür, wie groß das Aktienpaket einer gut aussehenden Frau ist oder wie hervorragend sie ihr Unternehmen leitet. Nehmen wir beispielsweise Oprah Winfrey: Alle Welt redet über ihre Diäten und davon, dass sie die Titelseite der Vogue zierte. Ihr erstaunlicher Erfolg als Medienfrau stößt auf weniger öffentliches Interesse.

Frauen, die großartige intellektuelle Leistungen vollbracht oder ein vorbildliches Leben geführt haben, bleiben oft unbekannt, es sei denn sie verfügen, wie Prinzessin Diana, über die Attribute Ruhm, Glamour und Reichtum. Sollten diese fehlen, muss schon mindestens eine Heiligsprechung in Aussicht stehen, wie im Falle Mutter Teresas. Die einzigen Errungenschaften, die heutzutage interessieren, sind solche, die sich im Fernsehen gut verkaufen.

Statt uns an den Vorgaben der Medien zu orientieren, sollten wir Maßstäbe definieren, die auf Werten basieren, welche wir für unser Leben als richtig und nützlich erkannt haben. Dabei kann es hilfreich sein, die Menschen um uns herum zu beobachten: Durch sie lernen wir, wie viele verschiedene funktionierende Wertesysteme es tatsächlich gibt, und finden so besser unseren eigenen Weg.

## Rollenmodelle aus dem wahren Leben

Am besten lernen wir von Frauen, die uns ähnlich sind. Wer über denselben Hintergrund und vergleichbare Erfahrungen verfügt wie wir selbst, kann uns viele hilfreiche Tipps geben. Die folgenden Kapitel enthalten Beispiele von Frauen, die mit über vierzig vor die Situation gestellt wurden, neue Entscheidungen für sich treffen zu müssen. Sie zeigen, wie wir die typischen Herausforderungen dieses Lebensabschnitts erfolgreich bewältigen, unseren finanziellen Status sichern, Rollenwechsel vornehmen und vor allem wie wir dafür sorgen können, dem Leben ein Maximum an persönlicher Befriedigung und Spaß abzugewinnen.

## Acht Frauengeschichten

**Julie** ist 63 Jahre alt. Ihre berufliche Laufbahn als Postbeamtin verlief durchaus zufrieden stellend, nun steht sie unmittelbar vor der Rente. Finanziell ist Julie weit gehend abgesichert, und sie würde die Zeit nach ihrer Pensionierung gern zum Reisen nutzen. Leider haben ihre Eltern ernste gesundheitliche Probleme. Ihr Vater zeigt Anzeichen beginnender Altersdemenz und ihre Mutter ist nicht in der körperlichen Verfassung, ihn allein zu pflegen. Julie macht sich Sorgen. Sollte sie eventuell ihre Ruhestandspläne aufschieben und versuchen, weiter Geld zu verdienen? Oder sollte sie sich um einen Pflegedienst bemühen, bei dem sie ihre Eltern gut versorgt weiß, während sie ihre Träume vom Reisen realisiert? Welche Entscheidung ist die richtige, um einerseits selbst ein erfülltes Alter zu haben und andererseits für die Menschen da zu sein, die sie liebt?

**Karen** ist 46 Jahre alt und stolz auf das, was sie bisher erreicht hat. Allein auf sich gestellt, hat sie zwei Kinder großgezogen, die mittlerweile erwachsen sind. Sie hat viele Jahre als Kassiererin in einem Lebensmittelgeschäft gearbeitet. Jetzt möchte sie all die Dinge nachholen, auf die sie um der Kinder willen jahrelang verzichtet hat. Aber sie zweifelt, ob es dafür womöglich nicht schon zu spät ist. Ist sie vielleicht zu alt, um mit Männern auszugehen oder eine neue Beziehung anzufangen? Die Gesangskarriere zu verfolgen, von der sie immer geträumt hat? Wird es Karen gelingen, ihre Träume wahr zu machen?

**Laurie** ist mit 44 da, wo sie hinwollte. Sie hat vor wenigen Jahren ihr Examen als Internistin gemacht. Dafür musste sie hart arbeiten, was sie aber in Kauf nahm. Es bedeutet ihr viel, anderen zu helfen, kranke

Menschen zu heilen und den gesunden ihre Gesundheit zu erhalten. In jüngster Zeit überschlagen sich die traurigen Ereignisse in Lauries Leben. Ihre Großeltern starben, kurz darauf verlor sie ihre Mutter sowie einige ihr lieb gewordene Patienten. Es belastet Laurie, das Leid ihrer Patienten mitanzusehen und nicht immer helfen zu können. Sie hat ihre Grenzen erreicht und ist auf dem Weg in eine Depression. Welche Entscheidungen helfen Laurie, mit den schmerzlichen Aspekten ihres Lebens – ihrem persönlichen Kummer und der Verzweiflung todkranker Patienten – besser fertig zu werden? Wie kann sie lernen, den Menschen, an denen ihr so viel liegt, besser zu helfen?

**Marian** ist 54 Jahre alt und Anwältin. Ihren Job in einer großen Kanzlei gab sie auf, als ihre Tochter geboren wurde. Seither arbeitet sie als Teilzeitanwältin. Sie verdient genug, um ohne Probleme über die Runden zu kommen, und kann ihre Arbeitszeiten flexibel gestalten, was für sie als allein erziehende Mutter immer ausschlaggebend war. Jetzt überlegt sie, ob es für sie bereits zu spät ist, karrieremäßig noch einmal Gas zu geben, Partnerin in einer Kanzlei zu werden oder selbst eine Kanzlei zu gründen.

**Mary**, 51 Jahre, arbeitet seit dem College als Lehrerin. Sie liebt ihren Beruf, möchte aber nicht auf der Stelle treten. Sie könnte Führungsseminare besuchen und sich für einen Direktorenposten bewerben oder psychologische Zusatzkurse belegen, um als Vertrauenslehrerin zu arbeiten. Mary hat Angst, eine falsche Entscheidung würde sie langfristig unzufrieden machen, weil ihr die neue Tätigkeit unter Umständen weniger Freude bereitet als die direkte Arbeit mit den Schülern. Wie findet sie heraus, mit welcher Entscheidung sie am glücklichsten wird?

**Rose** ist 42 und gelernte Kosmetikerin. Seit Abschluss ihrer Ausbildung arbeitet sie in einem Friseursalon. Was ihr an ihrem Beruf besonders gefällt, sind die Gespräche mit den Kundinnen. Sie freut sich jedes Mal, wenn eine Frau ihr von ihren Problemen erzählt und sie tatsächlich helfen kann. Nun träumt sie davon, noch effektiver Hilfe zu leisten. Sie hat beschlossen, eine Ausbildung als Suchtberaterin mit Schwerpunkt Alkoholismus zu machen. Ob sie später selbstständig arbeiten will, weiß sie noch nicht. Und sie fürchtet, für eine länger dauernde Ausbildung bereits zu alt zu sein. Wird Rose ihren Weg gehen und das nötige Selbstvertrauen finden, selbstständig als Suchtberaterin zu arbeiten?

**Ruth** ist 41 Jahre alt. Sie hat sehr jung geheiratet und zwei Kinder bekommen, die mittlerweile einundzwanzig und neunzehn Jahre alt sind. Ihr Mann Paul ist ein erfolgreicher Geschäftsmann und plant, sich in wenigen Jahren zur Ruhe zu setzen. Ruth war Vollzeit-Hausfrau und -Mutter, bis ihre Kinder die Grundschule beendet hatten. Dann nahm sie einen Teilzeitjob in einem Damenbekleidungsgeschäft an. Die Aufgabe machte ihr Spaß und brachte ein bisschen zusätzliches Geld ein, allerdings fehlte ihr die Zeit, eine leitende Stellung anzustreben. Nun bietet sich ihr die Gelegenheit, ganztags zu arbeiten, was bedeuten würde, dass sie Pauls und ihre gemeinsamen Pläne, zu reisen und den Ruhestand zu genießen, vorerst aufschieben müsste. Wie kann sie entscheiden, was das Beste für sie ist?

**Sally** ist 41 und geschieden. Seit ihrem Abschluss in Betriebswirtschaft führte ihre berufliche Laufbahn steil bergauf – heute hat sie eine leitende Stellung inne. Dennoch verliert ihre Arbeit mehr und mehr an Reiz. Veränderungen innerhalb ihrer Branche stören sie; enttäuscht und ausgebrannt fragt sie sich: „Ist es für mich zu spät, etwas Neues zu beginnen? Wie soll mein Leben später einmal aussehen?"

All diese Frauen haben eine Menge Lebenserfahrung gesammelt und teilen das Gefühl, Fehler gemacht zu haben. Sie haben Ziele und Träume, doch ihre Furcht vor der Zukunft ist groß. Sie möchten ihr Leben verändern und hadern gleichzeitig mit den Veränderungen, die um sie herum stattfinden. Der vor ihnen liegende Lebensabschnitt verlangt von ihnen, Entscheidungen zu treffen, wie sie sie noch nie getroffen haben. Wir werden ihre Geschichten begleiten und ansehen, wie sie die wichtigsten Entscheidungen ihres Lebens bewältigen.

## Es geht um Ihr Leben – heute

Die gängigen „Frauenthemen", mit denen sich zahlreiche Selbsthilfebücher beschäftigen, werden in diesem Buch eher außen vor bleiben. Hier geht es um eine praktische Direkthilfe bei den Dingen, die in unser aller Leben vorrangig sind: unsere Gesundheit, unser finanzielles Auskommen, unsere familiären Pflichten und unsere persönliche Zufriedenheit.

Die behandelten Entscheidungen betreffen unterschiedlichste Aspekte unseres Lebens und haben einen gemeinsamen Nenner: Sie zu treffen erfordert ein klares Bewusstsein dessen, was wir für uns erreichen wollen. Wie man lernt, kluge Entscheidungen zu fällen, ist für Menschen jeden Alters interessant. Was dieses Buch zu einem Buch speziell für Frauen über vierzig macht, sind die Themen, auf die sich die geschilderten Entscheidungen beziehen. Bei der Lektüre werden Sie deutliche

Parallelen zwischen den beschriebenen Geschichten und Situationen und Ihren eigenen Problemen erkennen, mit denen Sie jetzt oder in den nächsten Jahren konfrontiert sein werden. Zugleich ist es ein Anliegen dieses Buches, die Bandbreite der dargestellten Fälle möglichst groß zu halten, damit es die Leserin über viele Jahre hilfreich begleitet.

Sein Anspruch besteht darin, sowohl Antworten auf dringliche Fragen als auch Anregungen für neue Ideen zu geben. Es macht Sinn, mit anderen Frauen über die Fallbeispiele und Konzepte zu reden und mit ihnen gemeinsam ein Netzwerk gegenseitiger Unterstützung aufzubauen.

Sie sollten während der gesamten Lektüre Tagebuch führen. Es dient dazu, sich mit neuen Ideen auseinander zu setzen, Fortschritte zu protokollieren und sich Klarheit zu verschaffen, welche Veränderungen man in seinem Leben wie angehen will. Wichtig ist dabei vor allem, dass Sie mit eigenen Worten formulieren, was für Sie von Bedeutung ist und wie Sie es zu erreichen planen.

In diesem Buch geht es um die folgenden zehn Entscheidungen, mit denen fast jede Frau über vierzig früher oder später konfrontiert wird. Während Sie diese Liste studieren, überlegen Sie, welche Punkte augenblicklich für Sie relevant sind oder inwiefern sie in Zukunft eine Rolle in ihrem Leben spielen werden.

## Die zehn klügsten Entscheidungen, die eine Frau über vierzig treffen kann

1. SICH SEIN LEBEN ZU EIGEN MACHEN: Entscheiden, sich umzuentscheiden
2. DER AUFBRUCH IN EIN NEUES ICH: Entscheiden Sie sich für die bessere Rolle in Ihrem Leben
3. DEN SPASS AN DER ARBEIT ENTDECKEN: Wie Sie Ihre Karriere neu beleben oder sich für etwas vollkommen Neues entscheiden
4. SOZIALE BINDUNGEN FESTIGEN: Freundschaften suchen und pflegen
5. EIN GESUNDER GEIST BRAUCHT EINEN GESUNDEN KÖRPER: Was Sie für Ihre Gesundheit tun können und sollten
6. EIN AUFGEFÜLLTES BANKKONTO BERUHIGT DIE NERVEN: Wie Sie sich finanziell absichern
7. ES IST NIE ZU SPÄT: Wie Sie zu der Person werden, die Sie schon immer hätten sein können
8. NEHMEN SIE'S LEICHT: Sorgen Sie dafür, dass das Leben wieder mehr Spaß macht
9. WAS TUE ICH HIER? Wie Sie Ihrem Leben einen Sinn geben
10. GETEILTER GEWINN IST DOPPELTER GEWINN: Wie Sie etwas von dem zurückgeben, das Sie bekommen haben

Jeder dieser Entscheidungen ist ein eigenes Kapitel gewidmet, das Informationen bietet und Methoden vorstellt, wie Sie diese Punkte individuell richtig anpacken – jetzt und in Zukunft. Darüber hinaus enthalten die Kapitel Übungen und Orientierungshilfen. Die Geschichten der acht Frauen dienen zur Illustration.

Sprechen Sie mit Ihrer Familie und Ihren Freunden über den Buchinhalt. Häufig ergibt sich daraus die Chance, endlich über etwas zu reden, das Ihnen schon lange unter den Nägeln brennt. Und ganz nebenbei sichern Sie sich damit die Unterstützung, die Sie brauchen.

Entscheiden Sie selbst, ob Sie die Kapitel zunächst nur überfliegen und die Übungen zu einem späteren Zeitpunkt nachholen wollen. Nehmen Sie sich zuerst die Kapitel vor, die für Sie besonders dringliche Probleme behandeln. Natürlich spricht auch nichts dagegen, das Buch systematisch von Anfang bis Ende zu lesen und alle Übungen gleich mitzumachen.

Mit diesem Buch wollte ich Erfahrungen weitergeben, die ich in langen Jahren als Beraterin, Therapeutin und als Frau gesammelt habe. Mit über vierzig sehen wir uns grundlegenden Veränderungen, einer komplett neuen Lebensperspektive gegenüber. Die nachfolgenden Kapitel helfen Ihnen bei der Einschätzung, wie Ihr Leben derzeit aussieht und wie es aussehen sollte. Selbstbestimmung lernen bedeutet, Verantwortung für das eigene Leben zu übernehmen – das Steuer in der Hand zu halten.

Sie wissen selbst am besten, welche der Situationen der Ihren am ehesten vergleichbar ist. Alle übrigen Beispiele sollten Ihnen als Anregungen oder Lösungsvorschläge für zukünftige Probleme oder für die Probleme von Freundinnen dienen. Ich hoffe, dass dieses Buch Sie während der kommenden Jahre begleiten und Ihnen helfen wird, zu jedem Zeitpunkt die für Sie klügsten Entscheidungen zu treffen.

Kapitel I

# Sich sein Leben zu Eigen machen: Entscheiden, sich umzuentscheiden

Reife erlangen wir, indem wir erkennen, dass wir uns für Dinge entscheiden können.

*Angela Barren Mc Bride*

Frauen, die erkennen, welche neuen Möglichkeiten sich ihnen ab vierzig bieten, die ihr bisheriges Leben zu überdenken und sich neue Ziele zu setzen bereit sind, stehen weit besser da als jene, die das Älterwerden bejammern oder – noch schlimmer – schlicht leugnen. Mit vierzig Jahren gelangen wir an einen Scheidepunkt: Unsere Kinder sind erwachsen; vielleicht planen wir, uns bald aus dem Berufsleben zurückzuziehen, oder stellen fest, dass wir unsere Karriereziele erreicht haben. An unserem Körper registrieren wir erste Anzeichen der beginnenden Wechseljahre, unsere Partnerschaft erhält einen anderen Stellenwert, und möglicherweise passt unser bisheriges Wertesystem nicht mehr zu den veränderten Lebensumständen. „Wenn Sie Ende dreißig oder Anfang vierzig sind und das Gefühl haben, Ihr Leben würde jetzt erst richtig beginnen, dann stehen Sie mit dieser Empfindung keineswegs allein da", schreibt Miriam Nelson in ihrem Buch „Starke Frauen bleiben jung". „Mit Vollendung des vierten Lebensjahrzehnts haben sich die meisten von uns beruflich etabliert, Hobbys gefunden, an denen sie Spaß haben, oder engagieren sich in sinnvollen gemeinnützigen Projekten. Kinder, die man mit Anfang zwanzig bekommen hat, ziehen von zu Hause fort; selbst wenn wir erst mit Anfang dreißig Mutter geworden sind, haben wir das Man-kann-sie-keine-Sekunde-aus-den-Augen-lassen-Stadium hinter uns." Wir sollten uns freuen auf die bevorstehenden Jahre – mit allen Veränderungen, die sie mit sich bringen. Nur wenn wir diese Veränderungen annehmen und darauf vertrauen, ihnen gewachsen zu sein, gelingt es uns, auch Schwierigkeiten zu überwinden, die sich uns zwangsläufig hier und da in den Weg stellen. Dann können wir den Lohn für ein richtig und bewusst geführtes Leben ernten und genießen.

## In der Mitte des Leben bietet sich eine neue Chance

Auch wenn die Lebensumstände um die vierzig von Frau zu Frau variieren, durchleben wir doch alle Veränderungen, von denen sich einige unserer Kontrolle entziehen. Unsere Kinder werden uns über kurz oder lang verlassen, um ihre eigenen Wege zu gehen. Auch unsere Ehepartner machen eine Phase der Neuorientierung durch – persönlich wie auch beruflich. Wenn etwa der Ehemann in den Ruhestand geht, gestaltet sich das Zusammenleben vollkommen neu. Vielleicht stehen wir aber auch durch den Tod unseres Partners oder eine Scheidung plötzlich allein da, wo wir doch glaubten, unsere neue Freiheit nun gemeinsam genießen zu können. Darüber hinaus bringt die beginnende Menopause oft Symptome wie Mattigkeit, Kraftlosigkeit, Schlafstörungen und Gefühlsschwankungen mit sich. In vielen Fällen fordern alternde Eltern unsere erhöhte Aufmerksamkeit und Fürsorge. Manche Frauen entscheiden sich erst mit vierzig für die Mutterrolle, weil sie vorher zweifelten, die nötige Zeit und Gelassenheit aufbringen zu können.

Keine dieser Neuerungen ist einfach. Je klüger Sie Ihre Entscheidungen bezüglich dieser Veränderungen treffen, desto positiver werden sie sich auf Ihr Leben auswirken. Ihre Kinder werden unabhängiger, und Sie können die frei werdende Zeit und Energie nutzen, um persönliche Träume wahr zu machen, die lange Jahre auf Eis lagen. Kinder, die erwachsen werden, können wertvolle Freunde und Weggefährten sein. Wenn Sie die Beziehung zu ihnen über die Jahre intakt gehalten haben, geben sie Ihnen viel von dem zurück, was sie in der Vergangenheit von Ihnen bekommen haben.

Die Partnerbeziehung kann in dieser Lebensphase geradezu aufblühen, weil Sie sich als Paar neu finden und Ihre Bindung stärken können. Endlich dürfen Sie sich ganz und gar der Freude am Leben widmen, zu zweit Dinge unternehmen, die vorher nicht möglich waren. Sollten Sie jetzt zum Single werden, stellt sich nach Überwindung des Schmerzes oft ein neues Bewusstsein von Freiheit ein und Sie fangen an, längst vergessene Träume zu verfolgen. Auch die beginnenden Wechseljahre können – bei allen lästigen Begleiterscheinungen – Ihr

Körperbewusstsein neu beleben. Möglicherweise widmen Sie sich verstärkt Ihrer körperlichen Fitness, kümmern sich eher um Ihre Gesundheit. Ähnlich birgt das Plus an Aufmerksamkeit, die Sie Ihren pflegebedürftigen Eltern zukommen lassen, die Chance, Konflikte endlich beizulegen und neue Wärme in Ihre Beziehung zu bringen. Falls Sie zu den Frauen gehören, die jetzt die Zeit und Muße finden, eine Familie zu gründen, müssen Sie finanzielle Vorkehrungen treffen, damit beispielsweise die Ausbildung Ihrer Kinder später gesichert ist.

Das Leben konfrontiert uns immer wieder mit neuen Herausforderungen, die wir nicht ignorieren können. Es liegt einzig und allein an uns, umsichtig zu planen und kluge Entscheidungen zu treffen, die das Potenzial dieses Lebensabschnitts voll ausschöpfen. Leider geht es vielen von uns ähnlich wie Ruth. Wir haben Angst vor der Ungewissheit des Neuen und fühlen uns überfordert.

**Ruth** blickt den Entscheidungen, die sie zu treffen hat, mit gemischten Gefühlen entgegen. Sie glaubt, dass sie eine gute Ehe führt, ist aber frustriert, weil ihr Mann Paul bereits Pläne für die Zeit nach seinem Berufsleben geschmiedet hat, ohne einen Gedanken daran zu verschwenden, was sie möglicherweise vorhaben könnte. Ruth wiederum hatte bislang nicht die Zeit, sich genau darüber klar zu werden, was sie eigentlich will, wie für sie die kommenden Jahre aussehen sollen. Weshalb sie mit ihrem Ehemann auch nicht darüber sprechen kann. Sie weiß jedoch, dass sie dringend zu mehr Klarheit finden muss, anstatt immer wütender auf Paul zu werden und eine Mauer zwischen ihnen beiden zu errichten, die es langfristig unmöglich machen würde, dass sie überhaupt noch gemeinsame Pläne schmieden. Ruth sieht ein, dass es ein Fehler wäre, ihre Möglichkeiten nicht zu erforschen und nicht mit ihrem Mann zu diskutieren.

Ruth ist kein Einzelfall. Die meisten von uns tun sich schwer mit Veränderungen. Wir alle müssen lernen, welche Entscheidungen klug sind und wie wir sie erkennen. Das erfordert eine „Aufräumaktion" in unserem Denken, damit wir künftig besser in der Lage sind, unseren Erfahrungsschatz intensiv zu nutzen.

## Wie Sie kluge, reife Entscheidungen treffen

Die Fähigkeit, kluge Entscheidungen zu treffen, fliegt uns nicht zu. Mein Buch über die zehn klügsten Entscheidungen von Frauen unter vierzig unterscheidet fünf grundlegende Aspekte, die für die Entscheidungsfindung relevant sind. Da es sich um altersunabhängige Aspekte handelt, möchte ich sie an dieser Stelle wiederholen: Selbstkenntnis, Prüfung aller Aspekte und Möglichkeiten, Angemessenheit, externe Unterstützung und Selbstachtung. Wenn wir diese Voraussetzungen erfüllen und zugleich auf einen enormen Erfahrungsschatz zurückgreifen, gelingt es uns, Entscheidungen zu fällen, die klug, überlegt und effektiv sind.

Wir haben in unserem Leben schon oft Entscheidungen getroffen, mit denen wir uns nicht immer wohl fühlen. Wir sind es mittlerweile auch gewöhnt, am Arbeitsplatz Entscheidungen zu treffen, doch sobald es um unsere Familie, um unser Privatleben geht, geraten wir leicht ins Schleudern. Das gilt umso mehr, wenn wir unter Zeitnot oder Stress stehen, keinen klaren Gedanken fassen können, weil unser Leben so hektisch ist. Uns zu entscheiden, fällt uns überdies oft schwerer, wenn wir den Eindruck haben, dass andere unsere Wahl beeinflussen wollen. Doch diese Stolpersteine werden sich uns immer wieder in den Weg legen. Und gerade weil sie da sind und immer da sein werden, müssen wir die Komponenten einer guten Entscheidung genau kennen.

**Marian** ist als Anwältin geschult darin, anderer Leute Aussagen kritisch unter die Lupe zu nehmen. Im Privatleben ist sie weniger objektiv: Sie hadert mit sich, glaubt, ihren Pflichten als allein erziehende Mutter nicht zu genügen. „Ich fühle mich oft so schuldig, weil ich in meinem Beruf weiterkommen will. Mandy ist zehn und braucht mich nicht mehr dauernd um sich herum. Eigentlich ist sie immerzu unterwegs, beim Tanzunterricht oder bei Freunden, sodass ich ruhig mehr Zeit auf meine Karriere verwenden könnte. Aber was, wenn sie mich tatsächlich einmal braucht und ich nicht da sein kann? Ich fühle mich so hin und her gerissen, kann gar nicht mehr klar denken."

Durch Berücksichtigung der fünf Aspekte Selbstkenntnis, Prüfung aller Aspekte und Möglichkeiten, Angemessenheit, externe Unterstützung und Selbstachtung gewinnen wir das Vertrauen, dass unsere Entscheidungen tragfähig sind.

## Erster Aspekt: Selbstkenntnis

Als reife Frau kennen Sie sich aus verschiedenen Perspektiven. Sie wissen, wie Ihr Partner, Ihre Kinder, Verwandten, Freunde und Kollegen Sie sehen. Sie wissen, wie Sie auf Stress reagieren, was Ihnen gefällt und was nicht. Oft mussten Sie Entscheidungen treffen, ohne in Ruhe überlegen zu können. Darüber haben Sie vergessen zu fragen: „Was ist meine Meinung? Was brauche ich? Welchen Ausgang möchte ich?"

Dabei ging es uns primär darum, dass sich die Menschen um uns herum wohl fühlten und zufrieden waren. Höchste Zeit, dass wir überlegen, was uns wichtig ist! Denn sonst laufen wir langfristig Gefahr, uns selbst zu belügen und das den anderen am Ende übel zu nehmen!

Der erste Lernschritt besteht also darin, uns ein klares Bild über uns selbst zu machen, uns Zeit zu lassen, die Dinge in Ruhe zu überlegen, darüber nachzudenken, wer wir sind. Wir durchleuchten, wonach wir bisher unsere Entscheidungen ausrichteten. Hierbei sind wir uns selbst die größte Hilfe. Indem wir aufschreiben, was wir denken und fühlen und planen, kommen wir unserer Selbstkenntnis – und dem Treffen kluger Entscheidungen – ein gewaltiges Stück näher.

**Ruth** schreibt Tagebuch, um ihre Möglichkeiten und Gefühle gegenüber Pauls Plänen auszuloten. Die Jahre im Beruf haben ihr eine Menge über ihre Persönlichkeit verraten. Sie liebt es, Verantwortung zu tragen und Bestätigung zu bekommen. Darüber hinaus hat sie Freude an der Zusammenarbeit mit den Kollegen. Andererseits liegt ihr sehr viel an ihrer Ehe, und diese widersprüchlichen Gefühle bringen sie durcheinander, machen sie gelegentlich sogar wütend. „Ich liebe meinen Mann und weiß, wie sehr er sich auf die Zeit mit mir freut. Aber ich liebe auch meine Arbeit. Und ich hätte nicht damit gerechnet, dass es mir so viel ausmachen würde, um Pauls willen darauf zu verzichten. Ist es denn falsch, dass ich mir Anerkennung und Befriedigung wünsche? Muss ich meine Arbeit aufgeben, weil ich Paul liebe? Wie kann ich mich aus diesem Dilemma befreien? Und was kann ich tun, um eine Entscheidung zu finden, die sowohl Pauls als auch meinen Bedürfnissen gerecht wird?“

Sobald Ruth weiß, was ihrem Gefühl nach das Richtige für sie ist, kann sie gemeinsam mit ihrem Ehemann einen Weg finden, der sie beide glücklich macht. Denkbar wäre etwa eine gemeinsame Selbstständigkeit, oder Ruth könnte Paul ermutigen, sich während der Zeit, die sie noch im Beruf bleiben will, ehrenamtlich zu engagieren. Natürlich ist es nicht einfach, sich all seinen widersprüchlichen Gefühlen zu stellen. Wichtig ist, dass man es tut, bevor man sich für etwas entscheidet.

SELBSTKENNTNIS DURCH TAGEBUCHSCHREIBEN. Eine der besten und effizientesten Methoden, die eigenen Gefühle zu erkennen und ihre Bedeutung zu ermessen, besteht darin, sie aufzuschreiben – in unseren eigenen Worten festzuhalten, was uns wichtig ist, uns Klarheit über unsere Bedürfnisse und unsere Wünsche zu verschaffen. Es fällt uns leichter, unsere Pläne in die Realität umsetzen, wenn wir lernen, Ordnung in unser Gestern, Heute und Morgen zu bringen. „Die kleinen, alltäglichen Dinge sind es, die für uns wertvolle Arbeitsgrundlagen bieten. Selbst die Notiz, dass wir den Sachbearbeiter der Krankenkasse am liebsten erwürgen würden, kann nützlich sei ... Schreibend finden wir heraus, welche Dinge uns wirklich bewegen, was uns wichtig ist und was wir als Nächstes erreichen möchten“, schreibt Dr. Susan K. Perry, Autorin des Bestsellers „Writing in Flow: Keys to Enhanced Creativity“.

> Flow, dieses wunderbare Erlebnis, wenn die Zeit stehen bleibt, können wir in JEDEM Alter genießen. Es ist das Gefühl, dass das, was wir gerade tun, genau das und NUR das ist, was wir wirklich tun möchten. Je mehr Sie gelernt haben, was es heißt, sich einer Tätigkeit vollkommen hinzugeben, komplett zu versinken, umso leichter treten Sie in diesen Zustand ein. Schreiben gehört zu den Betätigungen,

bei denen sich der Flow-Zustand besonders gut erreichen lässt. Schreibend befreien wir uns vom allgegenwärtigen Zeitdruck. Deshalb ist es auch gleichgültig, wie alt wir sind, wenn wir mit dem Schreiben beginnen. Wir müssen uns nur trauen, nach dem Stift zu greifen oder uns an den Computer zu setzen und unsere Worte zu Papier zu bringen.

**Marian** hat mit ihrer Teilzeitarbeit genügend Geld verdient, um für sich und ihr Kind sorgen zu können. Dabei hatte sie ständig das Gefühl, ihre Berufserfahrungen als Anwältin seien in der Summe eher dürftig, weil es ihr an Praxis fehlte. Als sie mit ihrem Tagebuch begann, merkte sie, dass sie nun, da ihre Tochter älter und selbstständiger war, das starke Bedürfnis verspürte, ganztags zu arbeiten und sich wieder mehr ihrer Karriere zu widmen. Ihre persönlichen Erfahrungen als allein erziehende Mutter weckten ihr besonderes Interesse an der Verteidigung von Frauen in Scheidungs- oder Sorgerechtsangelegenheiten.

Ihre Kollegen in der Kanzlei, für die sie gegenwärtig tätig ist, glauben, dass Marian eine gute Prozessanwältin sein könnte und es unbedingt versuchen sollte. Ihre Freunde und ihre Verwandten raten ihr ebenfalls dazu. Sie alle sind der Ansicht, dass Marian ihren elterlichen Pflichten voll und ganz gerecht geworden ist und es nun an der Zeit wäre, einmal etwas für sich selbst zu tun. Andere Berufskollegen machen zwar keinen Hehl daraus, dass ihr Vorhaben viel Arbeit und Mühe kosten würde, halten Marian aber für kompetent genug, es sowohl in einer bereits bestehenden als auch in einer eigenen Kanzlei weit zu bringen. Einer ihrer Kollegen vertritt den Standpunkt, dass Marian während ihrer Jahre in verschiedenen Kanzleien mehr und vielseitigere Erfahrungen gesammelt haben dürfte als manch andere Anwältin, die ihre Laufbahn in ein und derselben Kanzlei verbrachte. Natürlich gibt es auch die typischen Unkenrufe: Innerhalb der Familie werden Stimmen laut, dass ihr Kind immer an erster Stelle stehen müsse und sie ohnehin zu alt wäre, um eine neue berufliche Richtung einzuschlagen. Indem Marian ihre eigenen Gefühle und Gedanken ebenso wie die Meinungen der anderen aufschreibt, verschafft sie sich Klarheit darüber, welche Standpunkte sie teilen kann und welche nicht.

„Ich war überrascht, wie viel es mir brachte, alles niederzuschreiben. Während des Studiums hatte man uns bereits gelehrt, unsere Argumente sowie sämtliche möglichen Gegenargumente zu Papier zu bringen und uns Notizen dazu zu machen, welche unterschiedlichen Blickwinkel in einem Rechtsfall eingenommen werden könnten. Unsere Plädoyers sind praktisch nichts anderes. Vielleicht war für mich deshalb das Führen eines Tagebuchs vertraut und vor allem hilfreich. Ich konnte dadurch meine Gedanken sortieren. In gewisser Weise war es, als würde ich einen Brief an mich selbst schreiben. Ich reflektierte die Ratschläge anderer, um mir selbst einen Rat geben zu können. Für mich war besonders wichtig, dass ich durch das Schreiben Distanz gewann. Ich konnte meine Situation objektiver betrachten." Marian hat für sich herausgefunden, dass es ihr gut tun würde, in der Mutterrolle etwas zurückzustecken und die gewonnene Zeit in ihre Karriere zu investieren. Sie will sich zunächst bei größeren Kanzleien bewerben, die auf Familienrecht spezialisiert sind, wobei es ihr Ziel sein wird, einmal Partnerin in einer solchen Kanzlei zu werden.

Frauen, die ihre Gedanken zu Papier bringen und sie schreibend reflektieren, treffen am Ende häufig Entscheidungen, die mit den Empfehlungen anderer konform gehen. Allerdings haben sie sich schreibend und analysierend vorher die Gewissheit verschafft, dass diese Entscheidungen wirklich die richtigen für sie sind. Ohne diese Gewissheit – sprich: ohne die erlangte Selbstkenntnis – wären sie sich für immer unsicher, ob sie tatsächlich das Richtige tun. Wir sollten unsere eigene Perspektive genauestens ausloten, gerade wenn wir gut gemeinte Ratschläge von Menschen erhalten, die uns nahe stehen und deren Meinung uns sehr wichtig ist.

**Laurie** liebt ihre Arbeit als Internistin und ist stolz darauf, dass sie anderen Menschen helfen kann. Sie hat sich ganz und gar der Aufgabe des Heilens verschrieben. Doch vor kurzem starb ihre Mutter an Krebs und einige ihrer Patienten erlagen ebenfalls ihrem Leiden. Nun fragt sie sich, ob die Medizin wirklich das richtige Tätigkeitsfeld für sie ist, zumal ihre Freunde und ihre Familie sich Sorgen um sie machen. Laurie begann eine Therapie, die ihr bei der Bewältigung ihrer Probleme helfen soll. Sie fühlt sich überfordert und erkennt erste Anzeichen einer Depression an sich. In der Therapie lernt Laurie, ihre Trauer zu akzeptieren und zu erkennen, dass ihre massive Hoffnungslosigkeit in erster Linie mit dem Verlust ihrer Mutter zusammenhängt.

„Mit Hilfe meiner Therapeutin habe ich erkannt, dass für mich bisher immer die anderen, ob Patienten, Freunde oder Familie, Vorrang hatten. Meine eigenen Gefühle und Bedürfnisse habe ich sträflichst vernachlässigt. Ich habe mir einfach nicht erlaubt, mich selbst wichtig zu nehmen“, erklärt Laurie. „Während der Therapie musste ich aufschreiben, was ich denke und fühle, und es meiner Therapeutin schildern. Das half mir, die Dinge sachlicher anzugehen, und nahm ihnen etwas von ihrem Schrecken. Mein Kummer reduzierte sich allmählich auf ein erträgliches Maß, und ich sah ein, dass meine Freunde und meine Familie mir rieten, einen anderen Beruf zu ergreifen, weil sie in Sorge um mich waren. Sie glaubten, meine Arbeit wäre für mich zu belastend. Doch während der Sitzungen bei der Therapeutin erkannte ich, dass ich meinen Beruf wirklich liebe. Was mir zu schaffen machte, war meine Trauer um meine Mutter.“ Laurie war so erleichtert, mit ihrer Trauer um die Mutter und die verstorbenen Patienten nun besser umgehen zu können, dass sie sich entschloss, in einem Sterbehospiz zu arbeiten. Sie will Menschen am Ende ihres Lebens helfen, ihre verbleibende Zeit so schmerzfrei und angenehm wie möglich zu verbringen. Sie fühlt sich mit ihrer Entscheidung wohl, und ihre Freunde und Angehörigen, die sehen, wie gut es ihr mit ihrer neuen Aufgabe geht, sind ebenfalls froh über Lauries „Neuorientierung“ und unterstützen sie nach Kräften.

Jede Frau kann ein solches Tagebuch führen, wie diese Frauen es taten. Es ist sinnvoll, es begleitend zu der Lektüre dieses Buches zu schreiben, weil es hilft, die Aufgaben und Übungen in den einzelnen Kapiteln zu absolvieren. Außerdem kann es ein wertvoller Leitfaden für kommende Jahre sein.

## Ein Logbuch fürs Leben

1. SCHREIBEN SIE EINEN REISEBERICHT über Ihren Aufbruch in ein neues Ich. Besorgen Sie sich ein Buch mit leeren Seiten oder einen Block, deren Aussehen Ihnen gefällt oder etwas mit Ihren Vorlieben zu tun hat. Vergewissern Sie sich, dass die einzelnen Seiten groß genug sind, damit Sie sie frei beschreiben können und noch ausreichend Platz haben, hier und da etwas zu zeichnen oder ein Bild einzukleben, wenn Ihnen

danach ist. Benutzen Sie dieses Notizbuch auch für sämtliche Übungen in diesem und in den nachfolgenden Kapiteln, damit Sie später erkennen, wie sich Ihre neuen Entscheidungen entwickelt haben.

**Karen**, die gern Sängerin werden würde, hat sich ein großes Blankobuch ausgesucht, auf dessen Umschlag ein Ausschnitt aus einer alten Partitur abgebildet ist. **Julie**, die begeisterte Hobbygärtnerin, hat einen großen Schreibblock mit Sonnenblumen auf dem Cover gewählt. **Ruths** Skizzenblock schmückt eine Collage ausländischer Banknoten – ein perfektes Sinnbild für ihren Wunsch nach Reisen und Erfolg.

2. ENTWERFEN SIE EINE TITELSEITE. Nutzen Sie Ihren Sinn für Humor. Wählen Sie das Motto: „Was ich werden will, wenn ich groß bin." Oder eine Zeile aus einem Lieblingsgedicht oder -roman. Natürlich können Sie Ihr Tagebuch auch nach sich selbst benennen, wie **Rose** es tat: „Roses Tagebuch". Entscheiden Sie sich für eine tolle Schrift – ob von Hand oder aus dem Computer –, zeichnen oder kleben Sie Bilder hinein. Gestalten Sie Ihre Titelseite schön, vergnügt, komisch, nüchtern oder dramatisch – ganz wie Sie wollen.
3. BEGINNEN SIE MIT DEM SCHREIBEN. Die Übungen in diesem und den folgenden Kapiteln sollen in Ihrem Tagebuch festgehalten werden, doch ich empfehle Ihnen dringend, auch andere Dinge hineinzuschreiben. Ihr Tagebuch soll ein Dialog sein, den Sie mit sich selbst führen. Schreiben Sie sich selbst Briefe, notieren Sie Ereignisse, die Ihnen etwas bedeuten, kleben Sie Fotos ein. Fangen Sie Ihre Stimmungen ein, indem Sie aus Büchern, Gedichten, der Bibel oder

Liedversen zitieren. Dieses Arbeitsbuch begleitet Sie auf den Weg in ein neues Ich.

Erschütternde Ereignisse wie der Tod eines nahe stehenden Menschen, eine schwere Krankheit, Drogenprobleme in der Familie oder sonstige Krisen machen es schwierig, Ihre eigenen Gefühle einzuordnen – gerade im Hinblick auf wichtige Entscheidungen, die Sie zu treffen haben.

**Laurie**, normalerweise pflichtbewusst und kompetent, wurde durch den Tod ihrer Mutter so erschüttert, dass sie Mühe hatte, einen klaren Gedanken zu fassen. Ihre Trauer hat sie vollkommen überwältigt, was bei ihr zu einem tiefen Misstrauen gegenüber der eigenen Lebenserfahrung und Karriereplanung führte. Die professionelle Hilfe ihrer Therapeutin und das Tagebuch, das sie schreiben sollte, versetzten sie in die Lage, ihre Gefühle aufzuarbeiten und als Fundament für die berufliche Weiterentwicklung zu nutzen.

Ganz gleich wie schwierig und ausweglos unsere Probleme erscheinen mögen – sie zu Papier zu bringen hilft uns, unsere Gedanken und Gefühle besser einzuschätzen. Eine wesentliche Voraussetzung dafür, dass wir die richtigen Entscheidungen für uns treffen können.

FLEXIBILITÄT. Wie wir alle zur Genüge erfahren haben, verläuft das Leben längst nicht immer nach Plan. Für die Momente, in denen es drunter und drüber geht, benötigen wir ein hohes Maß an Anpassungsfähigkeit und Flexibilität. Wenn wir unsere Ansichten und Gefühle im Vorfeld „abgeklopft" haben, verfügen wir beim Eintreten unvorhergesehener Ereignisse über die nötigen Mittel, neue Entscheidungen zu treffen, wo die ursprünglich geplanten nicht mehr greifen.

Mary liebt ihren Beruf als Lehrerin. In ihrer gegenwärtigen Position vermisst sie allerdings die Perspektive auf eine wirtschaftliche Verbesserung. Da ihre Pension bei den jetzigen Bezügen nicht allzu hoch ausfallen wird, macht sie sich Sorgen um ihre finanzielle Situation als Rentnerin. Würde sie sich im Verwaltungsbereich weiterbilden, könnte sie sich um eine Direktorenstelle bewerben. Andererseits könnte sie auch Psychologiekurse belegen und sich zur Vertrauenslehrerin ausbilden lassen. Finanziell ist beides gleich reizvoll, aber Mary ist bei beiden Möglichkeiten unsicher, ob sie ihr ebenso viel Freude machen werden wie die reine Lehrtätigkeit. Außerdem weiß sie nicht, was ihr eher liegt, sprich: in welchem Job sie erfolgreicher wäre. Auf jeden Fall würde sich ihr Leistungsdruck enorm erhöhen. „Mir schien es, als müsste ich zwischen zwei Unbekannten wählen. Natürlich war es das Einfachste, dort zu bleiben, wo ich war, aber dann bliebe auch die Angst vor der Zukunft. Doch wie sollte ich mich für einen beruflichen Aufstieg entscheiden, wenn ich keine Ahnung hatte, was mich erwartete?“, erinnert sie sich heute. „Mein Stresspegel wäre in beiden Fällen hoch. Ich mag die Arbeit mit Kindern, schätze es, dass ich ihnen etwas geben kann. Es ist nicht leicht, sich davon zu trennen. Und ich wusste nicht, wie gut mir eine andere Tätigkeit gefallen würde. Auf jeden Fall kann zusätzliches Geld nicht den verlorenen Spaß am Beruf aufwiegen.“

Mary entschloss sich, für jede der beiden Fortbildungen Anfängerkurse zu belegen, die sie online oder am Wochenende absolvierte, damit sie nebenher weiter unterrichten konnte. Die neu gewonnenen Informationen kann sie in ihrem Beruf gut anwenden, und sie bekommt eine konkretere Vorstellung davon, was die anvisierten Tätigkeiten mit sich bringen. Darüber hinaus hat sie sich vorgenommen, ein längeres Gespräch mit dem Direktor ihrer jetzigen Schule und Inhabern vergleichbarer Positionen zu führen, um sich weitere Tipps und Anregungen zu holen. Die Kurse, die sie zur Zeit belegt, lassen sich problemlos mit ihrer Arbeit vereinbaren und bieten obendrein eine solide Grundlage für zukünftige berufliche Veränderungen. Mary hat erkannt, was ihr Problem war und entsprechend gehandelt. Sie investiert Zeit und Mühe in das Erproben neuer Wege, bevor sie eine endgültige Entscheidung trifft. Und sie ist flexibel genug, Dinge auszuprobieren, ehe sie viel Zeit oder Geld riskiert.

Manchmal hält das Leben Überraschungen bereit – beispielsweise die plötzliche Erkenntnis, einer Situation entwachsen zu sein, die uns über Jahre zufrieden gestellt hat. Das war bei **Sally** der Fall: „Nach zwanzig Jahren habe ich in meinem Beruf alles erreicht, was ich erreichen kann. Nun stelle ich plötzlich fest, dass ich mich langweile. Unternehmensfinanzen üben auf mich nicht mehr die einstige Faszination aus. Früher gab es für mich ständig neue Dinge zu lernen. Heute kommt es mir vor, als hätte ich das alles hundertfach gesehen. Ich gehe lustlos ins Büro, bin die ewigen Berichte und Besprechungen leid. Ich habe mich durch Bücher und Zeitschriften über Unternehmensgründungen informiert, und das klingt für mich spannend. Ich möchte mehr Kontrolle über meine Arbeit, meine Zeit und mein Leben. Selbstverständlich ist mir klar, dass das nicht einfach ist, aber es reizt mich, meine eigene Firma zu gründen."

Als Sally lernt, ihre eigene Situation mit einer gewissen Distanz und mehr Objektivität zu betrachten, wird ihr klar, dass sie über Talente und Fähigkeiten verfügt, auf die sie sich stützen kann. Außerdem sieht sie, dass sich die Unternehmensstrukturen mit dem Internetboom grundlegend gewandelt haben. Sally überlegt, ob sie sich als Unternehmensberaterin selbstständig machen sollte. Wenn sie ihr Fachwissen für neue Herausforderungen einsetzt, kann sie sich selbst neu motivieren, indem sie anderen Unternehmen hilft, finanziell effizienter zu arbeiten. Allein ihre Recherchen, was sie für den Erfolg als Unternehmensberaterin benötigt, und der Entwurf ihrer eigenen Website haben ihr frischen Elan verliehen.

Selbstkenntnis als Prozess bedeutet bisweilen auch, dass wir neu gewonnenes Wissen nutzen, um mit schwierigen oder enttäuschenden Situationen besser fertig zu werden. **Julie** ist an einem Punkt angelangt, an dem sie einsieht, dass sie ihre sämtlichen Verantwortlichkeiten nicht allein bewältigen kann und vielleicht Hilfe braucht.

Julie ist dankbar, dass sie seit vielen Jahren eine verlässliche Stelle bei der Post innehat. Die Arbeit macht ihr Spaß, und ihre finanzielle Unabhängigkeit im Alter ist gesichert. Sie hat sich darauf gefreut, während ihrer Urlaube Reisen zu unternehmen und sich in wenigen Jahren aus dem Berufsleben zurückzuziehen. Doch nun stellt sie fest, dass ihre Eltern, die bis vor kurzem noch vital und gesund waren, deutlich abbauen und mehr Hilfe von ihr benötigen werden, als sie bisher annahm. „Ich liebe meine Mutter und meinen Vater, und es tut mir weh, sie plötzlich so hilflos zu sehen“, sagt Julie. „Früher konnte ich in meiner Freizeit tun, was ich wollte, jetzt verbringe ich beinahe jede freie Minute damit, mich um meine Eltern zu kümmern. Dad wird mit jedem Tag vergesslicher, und manchmal ist er grundlos gereizt und unausstehlich. Meine Mom ist am Ende. Er lässt den Gasherd an, vergisst, die Haustür abzuschließen, die Autoschlüssel mussten wir ihm wegnehmen, weil es lebensgefährlich ist, wenn er fährt. Erst dachte ich, ich würde es allein schaffen, für meine Eltern zu sorgen, aber das Ganze wächst mir über den Kopf. Ich fühle mich ausgebrannt und beginne, Fehler zu machen. Ich sollte mir wohl langsam eingestehen, dass ich Hilfe brauche. Allerdings habe ich Probleme damit, Verantwortung abzutreten."

Diese Frauen haben gelernt, Veränderungen zu akzeptieren und sich ihnen anzupassen, ihre Kräfte optimal einzusetzen und ihre Schwächen anzunehmen. Wenn Sie sich Ihrer Bedürfnisse und Lebensumstände bewusst sind, bringen Sie die nötige Flexibilität auf, die erforderlich ist, um sich mit neuen Situationen zu arrangieren.

## Zweiter Aspekt: Prüfung aller Gesichtspunkte und Möglichkeiten

Die meisten Entscheidungen bedürfen einer gründlichen Abwägung sämtlicher Aspekte und Möglichkeiten, und sei es nur um der Klärung des eigentlichen Problems willen. Wenn ich meine Klienten auffordere, ihre Schwierigkeiten möglichst genau zu formulieren, alle Fakten und Umstände zu berücksichtigen und mögliche Konsequenzen durchzuspielen, fällt es ihnen leichter, die richtige Entscheidung für sich zu finden. Häufig treffen wir Entscheidungen, die auf unvollständigen Informationen, Hörensagen oder Gutdünken beruhen, und im Nachhinein plagt uns die Unsicherheit, ob wir das Richtige getan haben.

Wenn Sie vor einer Entscheidung stehen, sich aber nicht wirklich sicher fühlen, vertrauen Sie Ihrer Unsicherheit und warten Sie ab, bis Sie die Konsequenzen besser einschätzen können.

**Ruth** blickt unsicher in die Zukunft, weil sie nicht einzuschätzen vermag, welchen Einfluss Pauls Rückzug aus dem Berufsleben auf ihre Pläne haben wird. Paul freut sich schon so lange auf die viele Zeit mit seiner Frau, dass er wie selbstverständlich davon ausgeht, ihr ginge es ebenso. Keiner von beiden weiß wirklich, was in dem anderen vorgeht, oder ist sich aller Möglichkeiten, die sie haben, bewusst. Erst wenn Ruth anfängt, Paul Fragen zu seinen konkreten Plänen zu stellen und ihm von ihren Wünschen zu erzählen, werden beide Klarheit gewinnen. Sinnvoll wäre auch, wenn Ruth Freunde, die bereits im Ruhestand sind, nach ihrer Befindlichkeit befragen würde. Überhaupt sollte sie so viele Informationen wie möglich sammeln, um sich eine fundierte Meinung bilden zu können.

Manchmal blockieren uns auch Fehler aus der Vergangenheit, falsche Entscheidungen, die wir getroffen und die einen negativen Effekt ausgeübt haben. In diesem Fall sollten wir genau überlegen, was wir hätten anders machen können. Außerdem sollten wir uns davor hüten, vergangene Erfahrungen auf gegenwärtige Situationen zu projizieren, die unter Umständen nichts mit ihnen gemein haben.

**Mary** unterrichtet sehr gern, fürchtet aber, als Lehrerin nicht das finanzielle Polster aufbauen zu können, das sie später brauchen wird. Ihre Furcht vor der Zukunft beschäftigt sie so sehr, dass sie nicht in der Lage ist, objektiv zu erwägen, welche Neuorientierung die geeignetere für sie wäre. Sie erinnert sich, wie unglücklich sie in ihrer ersten Lehrerstelle war, und hat aufgrund dieser Erfahrung Angst davor, ihre jetzige Stellung aufzugeben. „Ich habe schon einmal die falsche Entscheidung getroffen und fürchte, das könnte mir wieder passieren", meint sie. „Wie will ich wissen, ob ich mich als Direktorin oder Vertrauenslehrerin wohl fühlen werde?"

Sie entschließt sich, ein Jahr lang in beide Bereiche hineinzuschnuppern, bevor sie eine Entscheidung fällt.

Außerdem will sie mit Freunden sprechen, die in vergleichbaren Positionen arbeiten, und ihre freien Tage nutzen, um sich Schülerberatungen anzusehen und mit anderen Schulleitern zu sprechen. Auf diese Weise erhält sie einen konkreten Eindruck von beiden Berufsbildern.

MÖGLICHKEITEN ERFORSCHEN. Es gibt viele Wege, die eigenen Möglichkeiten zu erforschen. **Ruth** bat Paul und ihre Freunde um ihre Meinung zu ihren Plänen – sie lernte aus dem Feedback und den Erfahrungen anderer. Im folgenden Beispiel sehen wir, wie **Sally** sich über ihre Optionen informierte. Auch sie setzte auf die Erfahrungen anderer.

In ihrer bisherigen Tätigkeit hatte Sally häufiger Gelegenheit, andere Unternehmen zu beraten; man schätzte ihre Meinung, und Sally machte es Spaß, ihr Wissen weiterzugeben. Doch bei dem Gedanken, sich als Unternehmensberaterin selbstständig zu machen, regen sich Zweifel, ob eine Vollzeitberatertätigkeit ihr dieselbe Befriedigung verschaffen würde. Sie beschließt einen „Testlauf" bei einer Firma, die eine Beraterin sucht. Sie recherchiert gründlich und prüft die Vorschriften ihres gegenwärtigen Arbeitgebers hinsichtlich freiberuflicher Zusatztätigkeiten, um etwaigen Interessenskonflikten vorzubeugen. Dieser Test ist für Sally ein Versuch, zum einen genauer zu erfahren, was alles zu einem Consulting dazugehören kann, und zum anderen eine Bewährungsprobe für ihr Fachwissen. Darüber hinaus will sie ergründen, ob eine reine Beratertätigkeit anstelle ihres festen Jobs für sie in Frage käme.

Während der Arbeit mit dieser Firma kommt Sally zu dem Schluss, dass sie mit einer eigenen Consulting-Firma durchaus Erfolg haben könnte. „Dieser Einsatz war sehr spannend, und im Verlaufe der Arbeit wuchs meine

Zuversicht, dass ich wirklich kann, was ich da tue", sagt sie lächelnd. „Für mich war dieses Consulting ein Probelauf, durch den ich mir selbst bewies, dass mein Wissen ausreichte. So lange ich nicht für die Konkurrenz arbeitete oder Firmeninterna preisgab, hatte mein Arbeitgeber nichts gegen meinen Nebenjob einzuwenden. Mein Vorgesetzter schlug mir sogar vor, ein paar kleinere Aufträge für unsere Geschäftspartner zu übernehmen, weil er meinte, das würde die Geschäftsbeziehungen verbessern. Mein Einstieg war ideal. Es dauerte nicht lange, bis ich mir einen Namen als Beraterin gemacht hatte. Von nun an kamen die Aufträge praktisch von allein, und ehe ich mich versah, war ich selbstständig – alles nur, weil ich beschlossen hatte, genauer nachzuforschen."

Jeder Neuanfang sollte auf gründlichen Nachforschungen basieren. Will man sich in einer Branche selbstständig machen, muss man sich über den Markt informieren, über Probleme, die sich ergeben könnten, über Arbeitsabläufe und anfallende Kosten. Wenn man ein neues Hobby oder eine neue Sportart anfangen möchte, muss man vorher wissen, welche Ausrüstung man dafür braucht und ob man Kurse belegen sollte. Handelt es sich um eine neue Lebenserfahrung – Heirat, Mutterschaft oder Pensionierung –, braucht man ebenfalls alle Informationen, die man bekommen kann, um sich auf die bevorstehenden Veränderungen vorzubereiten. Oft brauchen diese Vorbereitungen Zeit, und das zu akzeptieren fällt uns nicht immer leicht, weil es uns normalerweise lieber ist, unsere Entscheidungen gleich zu treffen.

In meinem Buch über die zehn klügsten Entscheidungen, die eine Frau vor vierzig fällen kann, habe ich geschrieben: „Gründliche Nachforschungen bestehen (1) aus unseren eigenen Erfahrungen; (2) aus den Erfahrungen anderer, die wir kennen; und (3) aus den verfügbaren Informationen zu dem betreffenden Thema. Wenn wir alle diese drei Komponenten berücksichtigen, verfügen wir über die Mittel, fundierte Entscheidungen zu fällen." Für die Frau über vierzig ändert sich daran nichts. Eine kluge Entscheidung ist und bleibt eine kluge Entscheidung.

DIE EIGENEN ERFAHRUNGEN NUTZEN. Die ersten vierzig Jahre unseres Lebens haben uns einen reichen Erfahrungsschatz beschert, der sich, sofern wir ihn zu nutzen wissen, als ausgesprochen hilfreiche Datenbank erweist. Sind neue Entscheidungen fällig, sollten wir als Erstes unsere Vergangenheit nach vergleichbaren Situationen durchforsten. Wir wissen bereits, wie wir auf bestimmte Situationen oder Stress reagieren oder welche Wirkung Entwicklungen mit ungewissem Ausgang auf uns haben. Bei Beziehungsproblemen können wir an frühere Beziehungen zurückdenken und prüfen, inwieweit die damaligen Konflikte den heutigen ähneln. Manche Leserin mag sich jetzt denken: „Das tue ich doch sowieso; das ist doch selbstverständlich." Doch wenn wir uns nicht ganz bewusst die Zeit nehmen, über vergleichbare Erlebnisse in unserer Vergangenheit zu reflektieren, werden wir von diesen Erfahrungen nicht profitieren können. Häufig genug vermeiden wir diese Rückschau, weil sie bedeutet, vergangene Fehler noch einmal auszugraben, um zu sehen, was wir aus ihnen lernen können. Im harmloseren Fall müssen wir nichts weiter tun, als vertraute Muster neu zu ordnen und den veränderten Gegebenheiten anzupassen.

**Mary** und **Sally** haben ihre bisherigen Erfahrungen im Beruf als Wissensquelle für neue Dinge genutzt, die sie gern ausprobieren wollten. Doch während Sally ihr

Vorhaben recht optimistisch anging, war Mary um ein Vielfaches unsicherer, weil sie mit ihrer ersten Anstellung als Lehrerin bereits schlechte Erfahrungen gemacht hatte.

## Die Rad-Technik

Wir nutzen unser Tagebuch, um nachzuforschen, inwieweit unsere bisherigen Erfahrungen in der gegenwärtigen Situation hilfreich sein könnten. Dazu eignet sich die „Rad-Technik" hervorragend: Wir fassen die Entscheidung, die wir zu treffen haben, in ein oder zwei Worte und schreiben sie in die Mitte eines leeren Blattes. Mary und Sally könnten beide „Berufliche Veränderung" als Umschreibung wählen. Diese Kernbegriffe werden eingekreist und von diesem Kreis gehen Linien – die Radspeichen – aus. Am Ende jeder dieser Speichen notieren wir, was unserer bisherigen Erfahrung nach mit dem zentralen Thema zusammenhängt. Mary beispielsweise könnte schreiben: „Ich mag die Arbeit mit Kindern", „Mir gefällt der Schuldienst", „Ich brauche ein höheres Gehalt", „Meine Altersversorgung ist nicht gesichert", „Schaffe ich das?". Nachdem wir unser Rad mit den Speichen versehen haben, die teils unserer Erfahrung und teils unseren spontanen Gedanken und Ängsten angesichts der Veränderung entstammen, fällt uns meistens auf, dass wir eigentlich schon eine ganze Menge über das wissen, was auf uns zukommt – weit mehr jedenfalls als wir eingangs dachten. Außerdem können wir mit Hilfe des Rades genau sehen, wo uns Informationen fehlen. Und sobald wir formuliert haben, welches Wissen wir noch brauchen, können wir anfangen, es systematisch zu erlangen.

DAS SOZIALE NETZWERK NUTZEN. Die sozialen Kontakte, die wir geknüpft haben, sind nützlich, weil wir aus den Erfahrungen anderer lernen können. Ob wir ein Kind adoptieren, uns beruflich verändern oder heiraten wollen – unsere Pläne mit Menschen zu besprechen, die Erfahrung in diesen Dingen haben, ist in jedem Fall bei der Entscheidungsfindung hilfreich.

Jede Veränderung bringt ein Gefühl von Kontrollverlust mit sich. In dem Augenblick, da wir uns aus dem vertrauten Rahmen hinausbewegen, sind wir unsicher, was die Zukunft bringen wird. Vielen Frauen (und auch Männern) mangelt es an Zutrauen in ihre Fähigkeiten, sich neuen Gegebenheiten anzupassen.

**Mary** fürchtet, wenn sie die Tätigkeit aufgibt, die ihr Freude macht, könnte sie langfristig unglücklich werden – und das, obwohl ihr ein Bereich vorschwebt, der mit ihrem gegenwärtigen Beruf eng verwoben ist.

Um ihre Unsicherheit zu überwinden, wendet sie sich an andere, die bereits Erfahrungen in den von ihr erwogenen Positionen haben. Sie sieht sich an, wie diese Leute arbeiten, und eignet sich so Teile ihres Wissens an.

## Wie Sie aus den Erfahrungen anderer lernen können

Hier ist eine Liste der wichtigsten Punkte, die Sie beachten sollten, wenn Sie sich die Erfahrungen anderer zunutze machen möchten. Die meisten dieser Punkte entstammen meinem Buch über die zehn klügsten Entscheidungen, die eine Frau unter vierzig treffen kann. In den vergangenen Jahren habe ich diese Liste zahlreichen Klienten, Studenten und Workshop-Teilnehmern jeder Altersgruppe mit auf den Weg gegeben. Unabhängig davon, welche Art von Veränderung Sie planen – Sie sollten sie mit den nachfolgenden Schritten gründlich vorbereiten, um sich vor unliebsamen Überraschungen zu schützen:

Fragen Sie Menschen, die sich mit Ihrem Thema auskennen oder Sie mit „Insidern" zusammenbringen können.

- Besuchen Sie Kurse oder Vorträge auf dem Gebiet, für das Sie sich interessieren. Notieren Sie sich vorher Fragen, die Sie stellen möchten.
- Lesen Sie die Biografie oder den Erlebnisbericht von jemandem, der Ihr Vorhaben realisiert hat.
- Suchen Sie im Internet nach einer Website zu Ihrem Thema, und wenden Sie sich mit Ihren Fragen an die dort angegebene Kontaktadresse.
- Wenden Sie sich an Hochschulen oder Unternehmen, und bitten Sie um ein Gespräch mit jemandem, der sich mit Ihrem Anliegen auskennt.
- Besuchen Sie Veranstaltungen von Arbeitsgruppen oder Verbänden, die sich mit Ihrem Thema beschäftigen.
- Stöbern Sie in den Archiven Ihrer Lokalzeitung nach Artikeln zu dem Thema und kontaktieren Sie die Verfasser, beziehungsweise in dem Artikel erwähnte Personen.

FAKTEN SAMMELN. Bücher, Zeitungen, Zeitschriften und das Internet bieten einen enormen Fundus an Informationen zu praktisch allen Themen – von Reisen über Gesundheit bis hin zu Benimmtipps (etwa: Wenn ich im Weißen Haus eingeladen bin, welche Gabel nehme ich für welchen Gang?)

Eine Quelle führt bekanntlich zu Hunderten anderer Verweise, sodass wir binnen Kürze vor einem riesigen Berg an Material stehen, den wir kaum bewältigen können. Bei der sinnvollen Selektion hilft uns beispielsweise das Personal von öffentlichen Büchereien oder einer nahe gelegenen Universitätsbibliothek.

## Dritter Aspekt: Angemessenheit

Kluge Entscheidungen sind solche, die sich nicht ausschließlich an unseren eigenen Wünschen, Bedürfnissen und Möglichkeiten orientieren, sondern auch mit den äußeren Bedingungen in Einklang zu bringen sind. Wir sollten uns folgende Fragen stellen: Kann das, was ich anstrebe, in meinem Leben funktionieren? Werde ich andere Menschen damit vor den Kopf stoßen? (Was nicht unbedingt ein Hindernis, in jedem Fall aber eine Hürde ist, auf die wir uns entsprechend vorbereiten müssen.) Wie sehen die finanziellen Konsequenzen aus? Ist mein Vorhaben realistisch? Kann ich es bis zum Ende durchziehen? All diese Fragen betreffen den Aspekt der Angemessenheit unserer Entscheidungen. Die Effizienz unseres Handelns hängt davon ab, inwieweit wir unsere Schritte im Vorfeld auf äußere Gegebenheiten abgestimmt haben.

**Ruth** ist frustriert, weil sie sich in Pauls Zukunftsplänen zu wenig berücksichtigt fühlt. Dennoch zweifelt sie keineswegs an ihrer Beziehung. Sie liebt ihren Mann und weiß, dass er sie liebt. Beide haben gute und schlechte Phasen ihrer Ehe gemeistert. Daher ist es ihr wichtig, keine einseitige Entscheidung zu treffen. Es steht für sie außer Frage, dass Paul ihre Bedürfnisse nicht absichtlich ignoriert; vielmehr kommt er aufgrund seiner eigenen Vorfreude auf die gemeinsame Zeit des Ruhestandes gar nicht auf die Idee, ihr könnte es anders gehen. „Ich habe einfach versäumt, ihm klar zu machen, wie gern ich noch arbeiten würde. Paul glaubt, ich wäre ebenso begeistert von seinen Reiseplänen wie er. Deshalb ist es wichtig, dass ich zunächst einmal genau erfahre, was in ihm vorgeht, bevor ich versuche, ihm verständlich zu machen, wie ich mich dabei fühle. Vielleicht bedarf es einer Eheberatung, um diese Dinge zu klären. Auf keinen Fall möchte ich riskieren, mit vorschnellen Entscheidungen unsere Ehe aufs Spiel zu setzen. Ich bin zuversichtlich, dass wir eine für uns beide akzeptable Lösung finden werden, sobald wir offen über alles reden."

In den nachfolgenden Kapiteln werde ich auf die verschiedenen Aspekte eingehen, die für die Angemessenheit unserer Entscheidungen ausschlaggebend sind. Der Erfolg unseres Handelns hängt nicht nur davon ab, wie es sich auf unser Leben auswirkt, sondern auch davon, welche Wirkung es auf die Menschen in unserer unmittelbaren Umgebung hat. Entsprechend sollten wir angestrebte Neuerungen auf ihre Haltbarkeit innerhalb unseres sozialen Umfelds hin überprüfen. Selbstverständlich können einschneidende Veränderungen wie ein Ortswechsel oder eine berufliche Neuorientierung von großem Nutzen für uns sein, auch wenn sie für diejenigen, die uns nahe stehen, vorübergehend eine Irritation bedeuten. Dieser Nutzen steht und fällt jedoch damit, ob wir uns und andere hinreichend auf das vorbereitet haben, was kommen wird.

## Vierter Aspekt: Externe Unterstützung

Entscheidungen, insbesondere solche, die mit einschneidenden Veränderungen einhergehen, sind zumeist mit Unsicherheit und Angst verbunden. Wenn wir etwas Neues anfangen, kommt erschwerend hinzu, dass wir uns zunächst unbeholfen und inkompetent fühlen. Für

Frauen über vierzig ist dieser „Anfängerstatus" häufig schwer zu ertragen. Sie sind alt genug, die meisten Bereiche ihres Lebens gut im Griff zu haben, weshalb ihnen ein vorübergehender Verlust an Souveränität großes Unbehagen bereitet.

Doch dabei handelt es sich, wie gesagt, um eine temporäre Phase, während derer wir uns jedwede Unterstützung und Ermutigung von außen sichern sollten. In vielen Fällen ist es ausreichend, wenn wir auf unsere Familie und unsere Freunde – und natürlich auf uns selbst – zählen können. Aber es gibt auch Veränderungen und Neuerungen, die diesen Rahmen sprengen und nach professioneller Hilfe verlangen. Wollen wir beispielsweise grundlegende Verhaltensweisen ändern, um in Zukunft gesünder zu leben, brauchen wir fachkundigen Rat und zusätzliche Motivation, die uns durch einen Arzt, einen professionellen Berater (z.B. Fitnesstrainer, Therapeuten oder Diätberater) oder durch eine Gruppe (Sportverein, Yogagruppe oder Weight-Watchers-Gruppe) zuteil werden können. Wir können uns mit Fachleuten und Kollegen austauschen, um Informationen oder Anregungen zu bekommen. Manchmal brauchen wir aber auch eine bestimmte Person, die unsere Entwicklung Schritt für Schritt mitverfolgt. Was immer wir an Unterstützung erhalten können, sollten wir nutzen, um uns bestmöglich für die Herausforderungen zu wappnen, die an unsere Entscheidung geknüpft sind.

**Rose** hat erkannt, wie wichtig der Rückhalt in einer Gruppe sein kann. Sie hat bei Kunden und Familienangehörigen gesehen, wie viel Hilfe und Motivation sich Menschen in Selbsthilfegruppen, etwa bei den Anonymen Alkoholikern, gegenseitig geben können. Sie möchte mehr tun, als ihren Kunden im Kosmetiksalon zuzuhören und ihr Mitgefühl zu schenken. Und sie hat das Bedürfnis, sich beruflich zu verbessern. Sie ist klug genug, um zu erkennen, dass sie es ohne Hilfe nicht schaffen wird. Rose hat einige Jahre an den Sitzungen der Anonymen Alkoholiker teilgenommen und kennt einige gute Berater. Außerdem ist sie ein aktives Mitglied ihrer Kirchengemeinde und hat sich mit ihrem Pfarrer über unterschiedliche Fortbildungsmöglichkeiten unterhalten. Sie weiß, auf welche Menschen in ihrer Familie sie bei ihrem Vorhaben zählen kann. Die weiht sie in ihre Wünsche und Pläne ein. Und sie bittet die Teilnehmer des Gebetskreises, mit dem sie sich regelmäßig trifft, für sie zu beten. Rose ist begeistert, auf wie viel Interesse und Hilfsbereitschaft sie stößt. Als sie sich mit Experten über die Ausbildung zur Suchtberaterin unterhält, stellt sie zu ihrem Erstaunen fest, dass sich ihr weit zeitsparendere und unkompliziertere Wege bieten, als sie sie mit achtzehn vorgefunden hätte. Heute gibt es College-Kurse für berufstätige Erwachsene und Kurse im Internet, die sie sich bei ihrem Fachschulabschluss anrechnen lassen kann. Ganz nebenbei dürften all die Menschen, die sie heute um Unterstützung bittet, später beim Akquirieren von Klienten einmal von Nutzen für sie sein.

**Marian** möchte sehr gern eine Vollzeitstelle in einer Kanzlei annehmen. Daher hat sie andere Anwälte, mit denen sie zusammenarbeitet, über ihr Interesse an einer festen Stelle und langfristig an einer Partnerschaft informiert. Außerdem hat Marian eine Liste all jener Anwälte zusammengestellt, für die sie früher einmal gearbeitet hat, und diese Kanzleien angeschrieben. Zusätzliche Unterstützung sichert sie sich über die Berater der Anwaltskammer, die ihren bisherigen beruflichen Werdegang kennen und wissen, welche Kanzleien am ehesten für sie in Frage kommen. Darüber hinaus hat sie dem Verband der Prozessanwältinnen, dessen Mitglied sie ist, mitgeteilt, dass sie auf Jobsuche ist. Sie hat sich externe Unterstützung besorgt, um nicht nur die richtige Stellung für sich zu finden, sondern um auch in Zukunft über Kontakte zu verfügen, die ihr Informationen und Zuspruch bieten, wann immer sie diese nötig hat.

**Laurie** half es, die Trauer um ihre Mutter mit ihrer Therapeutin und in einer Selbsthilfegruppe aufzuarbeiten. Mit freudiger Überraschung nahm sie die positive Resonanz wahr, als sie den Mitgliedern der Gruppe von ihrer Entscheidung erzählte, in einem Hospiz zu arbeiten. Sie versicherten ihr einstimmig, welch wertvollen Beitrag sie zur Gruppe geleistet hätte und dass sie bestimmt den Patienten in einem Hospiz eine Menge zu geben hätte.

## Fünfter Aspekt: Selbstachtung

Selbstachtung ist eine wichtige Voraussetzung, wenn unsere Entscheidung zu einem befriedigenden Ergebnis führen soll. Selbstachtung sollte daher nicht mit Selbstkenntnis verwechselt werden. Bei Letzterer geht es darum, dass wir uns und unsere Beweggründe verstehen, wohingegen Selbstachtung bedeutet, dass wir uns respektieren und annehmen, wie wir sind. Um den Enthusiasmus, die Energie und die Kraft aufzubringen, Neuerungen in unserem Leben zu initiieren, müssen wir davon überzeugt sein, ein Recht auf ein Leben zu haben, in dem wir gut behandelt werden, mit dem wir zufrieden sind und in welchem unsere Kreativität und Intelligenz gewürdigt werden. Wir haben es verdient, eine nette Familie und liebe Freunde zu haben, und wir sind es wert, dass andere uns achten, genauso wie wir selbst uns achten. Diese Gewissheit sollten alle unsere Entscheidungen reflektieren. Die Achtung anderer und Respekt für uns selbst erzielen wir nicht, indem wir uns zurücknehmen oder verstellen, um zu gefallen. Mangelt es uns an Selbstachtung, geraten wir allzu leicht in Situationen, in denen wir ausgenutzt und enttäuscht werden. Entscheidungen, die zu einem befriedigenden Ergebnis für uns führen sollen, müssen von Selbstachtung getragen sein.

**Laurie** hat ihre Selbstachtung wiedergefunden, als sie sich eingestand, wie sehr sie um ihre Mutter trauerte und welche Wirkung diese Trauer auf sie hatte. Indem sie zu akzeptieren lernte, was in ihr vorging, konnte sie neues Zutrauen in ihre Kraft finden, ihre Depression überwinden und sich für einen neuen beruflichen Weg entscheiden, der ihr mehr Befriedigung versprach. Heute hat sie das Gefühl, wertvolle Arbeit zu leisten, weil sie ihren Patienten Linderung verschaffen kann, sowohl bei ihren physischen als auch ihren psychischen Leiden.

**Marian** bezieht ihre Selbstachtung vor allem aus der Gewissheit, allein für sich und ihre kleine Tochter sorgen zu können. Sie verfügt über das nötige Selbstvertrauen, Risiken auf sich zu nehmen, um ihre Träume wahr zu machen. Ihre Lebenserfahrung als allein erziehende Mutter, die bisherige Schwierigkeiten immer irgendwie gemeistert hat, ist Bestätigung für sie, alles erreichen zu können, was sie sich vornimmt.

Bezogen auf unser Handeln heißt Selbstachtung, dass wir Entscheidungen auf unsere ureigene Weise treffen. Was zählt, sind unsere Bedürfnisse und unsere Integrität. Uns selbst zu achten bedeutet, nach unseren Werten zu handeln, aber auch die Auswirkungen unseres Handelns auf andere zu berücksichtigen.

## Reaktion, Rücksichtnahme und Initiative

Natürlich müssen wir äußere Faktoren einbeziehen, wann immer wir eine Entscheidung treffen. Was wir tun, brauchen und wollen, steht immer in Wechselwirkung mit anderen Menschen, mit bestimmten Gegebenheiten und mit unvorhersehbaren Ereignissen. Unter Reaktion und Rücksichtnahme verstehe ich das Abstimmen unserer Entscheidungen auf Menschen, Lebensumstände oder Ereignisse. Initiative meint das Handeln ohne unmittelbaren Auslöser: Obwohl Personen oder Ereignisse indirekt mit unserer Entscheidung zusammenhängen mögen, sind sie doch nicht das Motiv, das uns leitet.

### Reagieren

Wir reagieren, wenn wir Dinge tun, ohne lange über sie nachzudenken, weil die Situation eine gewisse Spontaneität erfordert. Schnell reagieren zu können ist in Notfällen unentbehrlich: wenn wir eine Freundin festhalten, die im Begriff ist, vor ein Auto zu laufen; einem Freund oder Angehörigen Trost spenden, ohne die näheren Umstände zu kennen; einen Topflappen wegziehen, der zu dicht an der heißen Herdplatte liegt; oder wenn wir das Lenkrad herumreißen, um einem Kind auszuweichen, das auf die Straße rennt.

Unsere Fähigkeit, spontan zu reagieren, hat sich seit Bestehen der Menschheit als Überlebensmechanismus bewährt. Bisweilen bringt es jedoch Probleme mit sich, wenn man auf eine Situation reagiert, bevor man sie reflektiert hat, nach dem Gefühl handelt, ohne logische Faktoren zu berücksichtigen oder vorschnell Urteile trifft, die sich im Nachhinein als falsch erweisen. Wir sollten uns daher nicht ausschließlich auf spontane Reaktionen verlassen.

## Rücksicht nehmen

Wenn wir die Bedürfnisse und Wünsche Dritter in Betracht ziehen, uns mit allen relevanten Fakten vertraut machen und anschließend bewusst entscheiden, was wir unter den gegebenen Umständen tun sollten, ist das in meinen Augen kein Reagieren mehr, sondern Rücksichtnahme. Unser Alltag ist gespickt mit Situationen, in denen Rücksichtnahme gefragt ist. Wir nehmen Rücksicht auf unseren Ehepartner, der erschöpft von der Arbeit heimkommt, indem wir sanft mit ihm sprechen beziehungsweise ihm die verdiente Ruhe gönnen. Wir nehmen Rücksicht auf unser Kind, wenn es ein wichtiges Spiel oder einen großen Auftritt vor sich hat, indem wir die Familie als Fangruppe zusammentrommeln. Wir nehmen Rücksicht auf unsere Lebensumstände, wenn wir während finanzieller Engpässe einen Nebenjob annehmen oder vermehrt Überstunden machen. Wir nehmen Rücksicht auf äußere Gegebenheiten, wenn wir einen anderen Weg zur Arbeit fahren, weil es auf unserer gewohnten Strecke einen Stau gibt. Entscheidungen, die wir treffen, weil wir auf äußere Faktoren Rücksicht nehmen, können dazu beitragen, Probleme zu bewältigen, schwierige Situationen zu entkrampfen, Durststrecken zu überwinden und unsere Beziehungen zu bereichern.

Doch Reaktion und Rücksichtnahme allein reichen nicht aus. Wir Frauen sind Expertinnen für beides. Beide Verhaltensweisen entsprechen unserer traditionellen Rolle, weil sie unmittelbar an den Bedürfnissen und Wünschen anderer ausgerichtet sind. Demgegenüber tun wir uns ungleich schwerer damit, Initiative zu ergreifen.

## Initiative ergreifen

Entscheidungen, die wir von uns aus treffen – „aus freien Stücken“ – werden mit zunehmendem Alter und der Erfahrung, dass unsere Lebensumstände veränderbar und häufig auch veränderungsbedürftig sind, immer unausweichlicher. In den nachfolgenden Kapiteln möchte ich gängige Konstellationen beschreiben, die uns zu Neuerungen anregen, wenn nicht gar zwingen. Dazu gehören: Wandel der Rollenstrukturen, finanzielle Absicherung und, nicht zuletzt, die Sicherstellung der eigenen Zufriedenheit und des eigenen Wohlbefindens.

Initiative erfordert grundsätzlich vorausschauendes Denken und gründliches Planen. Zunächst einmal müssen wir uns darüber klar sein, was genau wir erreichen wollen, sowohl kurzfristig als auch langfristig, und daran unsere Planung orientieren. Die folgende Übung soll dabei eine Hilfe sein.

### Die Wunschliste

1. WÜNSCHE UND TRÄUME. Blicken Sie auf Ihr Leben zurück – von Ihrer Kindheit bis heute. Erstellen Sie in Ihrem Tagebuch eine Liste, in der Sie all die Dinge aufführen, die Sie glauben, möglicherweise versäumt zu haben. Gibt es auf dieser Liste etwas, das Sie schon immer tun wollten? Etwas, das andere verwirklicht haben und für das Sie sie beneiden? Wenn Sie alles tun könnten, was Sie wollten, ohne Einschränkungen, was täten Sie? Was würden Sie sich gönnen, wenn Sie einen Sechser im Lotto hätten? Schreiben Sie alles auf, wovon Sie geträumt oder was Sie sich immer gewünscht haben. Vielleicht entdecken Sie, dass Sie Ihr Leben lang Jazztanz oder Ballett machen wollten, dass Sie singen, schreiben oder schau-

spielern wollten. Vielleicht wären Sie gern Künstlerin geworden, meinten aber, Ihnen fehle das Talent und/oder die Courage. Fragen Sie sich, was Sie lernen oder kennen lernen wollten. Vielleicht hätten Sie gern Kinder gehabt, aber keine bekommen, oder Sie haben welche bekommen, obwohl Sie keine wollten. Vielleicht wären Sie gern gereist, hätten gern an einer Olympiade teilgenommen, Ihr eigenes Unternehmen gegründet, in einer Menschenrechtsorganisation mitgearbeitet.

2. AKTUALISIEREN SIE IHRE WÜNSCHE. Nun sehen Sie sich die Liste an und bringen Sie sie auf den aktuellen Stand. Wie wäre es, wenn Sie Ihre Wünsche jetzt in die Realität umsetzen könnten? Noch können Sie alles lernen, was Sie lernen wollen, oder es zumindest versuchen. Es gibt keinen Grund, sich mit dem Gefühl abzufinden, dass „es wahrscheinlich sowieso nichts geworden wäre". Wenn Ihnen eigene Kinder verwehrt blieben, warum versuchen Sie sich nicht als Pflegemutter oder als Kinderbetreuerin in einem Krankenhaus oder einer Schule? Es ist auch nie zu spät, sich weiterzubilden oder eine neue Berufslaufbahn anzustreben. Schreiben Sie auf, wie Ihre Wünsche heute klingen: „Vielleicht werde ich keine berühmte Stepptänzerin, aber ich kann einen Stepptanzkurs belegen, der mir Spaß macht und gut tut." „Vielleicht ist es nicht zu spät für ein Jurastudium – ich könnte ab dem Herbstsemester Kurse belegen, und wenn ich das Studium zügig absolviere, noch etwas damit anfangen." „Ich bin zu alt, um Spitzensportler zu werden, aber ich kann mich trotzdem körperlich fit halten." „Ich könnte Theologie studieren, auch wenn ich nicht vorhabe, Pfarrerin zu werden."

3. HOLEN SIE SICH INFORMATIONEN. Schauen Sie sich in Ihrer unmittelbaren Umgebung um. Informieren Sie sich über die gebotenen Möglichkeiten. Initiativen, Kurse und Vereine gibt es überall. Nutzen Sie das Internet, Freunde, die öffentlichen Büchereien, Hochschulen, Gemeindeverwaltungen und gemeinnützige Organisationen. Schreiben Sie auf, welche Möglichkeiten Sie haben.
4. ENTWERFEN SIE EINEN PLAN. Schreiben Sie auf, wie Sie Ihre Wünsche in die Realität umsetzen wollen. Falls Sie studieren wollen, notieren Sie sich die Einschreibungstermine. Falls Sie eine Sportart treiben oder sich anderweitig engagieren wollen, schreiben Sie auf, an wen Sie sich wenden müssen. Und nun fangen Sie mit dem kleinstmöglichen Schritt an, um Ihren Traum zu verwirklichen. Die darauffolgenden Schritte planen Sie sorgfältig und passen sie Stufe für Stufe dem Ziel an, das Sie erreichen wollen. Wichtig ist, dass Sie sich jetzt Menschen suchen, die Ihren Traum unterstützen und Ihnen Rückhalt geben.

**Karen** weiß, wie wichtig sinnvolle Planung ist. Sie hat sich zur Chefkassiererin hochgearbeitet und macht die Arbeitspläne für sämtliche Kassierer. Als berufstätige Mutter musste sie auch ihren Haushalt perfekt durchorganisieren und planen. Über all dem ist sie selbst permanent zu kurz gekommen. Ihre Wünsche und Bedürfnisse rangierten ganz unten auf der Liste der zu berücksichtigenden Dinge; alles, was sie zu ihrem eigenen Vergnügen machen wollte, war für sie gleichbedeutend mit „egoistisch" und „unwichtig". Mittlerweile ist Karen finanziell abgesichert, ihre Kinder sind praktisch erwachsen. Sie fragt sich, wie sie am liebsten ihre Freizeit gestalten würde. „Ich habe immer gesungen. Früher im Kirchenchor, später bei Feiern im Freundeskreis. Jetzt habe ich Zeit und ein bisschen Geld übrig. Ich möchte Gesangsstunden nehmen und sehen, was sich daraus machen lässt." Sie hat einen Gesangskurs an der Volkshochschule ausfindig gemacht, und dort will sie einsteigen. „Es ist das erste Mal, dass ich etwas nur für mich mache. Mir kommt es vor, als würde mein Leben mir neu geschenkt. Verstehen Sie mich nicht falsch, ich liebe meine Kinder, aber ich bin trotzdem froh, dass sie mich nicht mehr rund um die Uhr brauchen. Ich glaube, ich war lange genug der letzte Posten auf meiner Zu-erledigen-Liste."

## Der richtige Weg, gute Entscheidungen zu treffen

Sofern wir alle fünf Aspekte bei unserer Entscheidungsfindung berücksichtigt haben, können wir mit Gewissheit sagen, unseren Lebensumständen entsprechend die bestmögliche Entscheidung für uns getroffen zu haben. Wir haben schreibend und reflektierend erkannt, welche Bedürfnisse uns zu Neuerungen motivieren, haben sämtliche Fakten geprüft und Informationen beschafft. Wir können unsere gegenwärtige Situation ebenso zuverlässig einschätzen wie die Unterstützung, auf die wir zählen können. Und wir haben entschieden, dass wir ein Recht darauf haben, unsere eigenen Interessen durchzusetzen. Anhand dieses Rüstzeugs fällt es uns leichter, unseren Weg zu wählen. Auf unser so erworbenes Wissen können wir fortan jederzeit zurückgreifen, wenn wir mit Problemen konfrontiert werden.

Im folgenden Kapitel „Der Aufbruch in ein neues Ich: Entscheiden Sie sich für die bessere Rolle in Ihrem Leben“ finden Sie Übungen, wie Sie die Methoden der Entscheidungsfindung auf Ihr Leben anwenden, um es zu dem Leben zu machen, das Sie sich wünschen.

Kapitel II

# Der Aufbruch in ein neues Ich: Entscheiden Sie sich für die bessere Rolle in Ihrem Leben

> Das Leben einer Frau ist eine Abfolge unterschiedlicher Lebenszyklen, von denen jeder einzelne einen geschlossenen Kreis bildet, in dessen Mitte eine intensive Erfahrung steht.
>
> *Wallis Simpson, Herzogin von Windsor*

Sie sind an einem Punkt in Ihrem Leben angekommen, an dem Sie sich von eingespielten Rollen trennen müssen. Ihre Familiensituation ändert sich und mit ihr Ihre Lebensumstände, was sowohl eine positive Erfahrung (Sie sind selbstbewusster, erfahrener, finanziell abgesichert und haben Freude daran, Ihre Kinder heranreifen zu sehen) als auch eine negative Erfahrung sein kann (Sie vermissen Ihre Rolle als Mutter, Ihre Arbeit langweilt Sie, Sie fürchten sich vor dem Alter).

# Das neue Ich

Ganz gleich, ob die Rollenwechsel von Ihnen initiiert wurden oder Sie praktisch keine andere Wahl hatten: Sie müssen eine bewusste Entscheidung treffen, wie Ihre künftige Rolle aussehen soll, um Zufriedenheit und Spaß in Ihr Leben zu bringen.

**Ruths** Kinder sind erwachsen. Ihre Tochter Susan ist einundzwanzig, hat einen Job, einen Ehemann und eine eigene Wohnung. Sohn Jason ist neunzehn und besucht das College. Beide Kinder sind nur noch selten zu Hause – Ruths Rolle als „Mom" beschränkt sich auf wenige Auftritte. „Ich kann mir jetzt vorstellen, wie die Königinmutter sich fühlen muss", sagt sie schmunzelnd. „Für meine sauer erarbeiteten Fähigkeiten als Mutter und Pädagogin habe ich keine Verwendung mehr, und ich fühle mich nutzlos, wenn ich in meinem leeren Haus herumputze."

Ruth wird dieses Gefühl der Nutzlosigkeit nicht überwinden, solange sie nicht selbst entscheidet, wie ihr Leben nach der Mutterrolle aussehen soll. Selbst wenn ihre Kinder bald selbst Kinder bekämen, um die Ruth sich gelegentlich kümmern kann, wird ihr Leben doch nie mehr durch Kindererziehung ausgefüllt sein.

Hierin bietet sich ihr die große Chance, ihr Leben komplett umzukrempeln, Dinge zu tun, die sie immer schon tun wollte. Doch bevor sie eine Entscheidung trifft, muss sie eine Menge Fragen klären. Sie muss herausfinden, wie es in ihr aussieht, welche unerfüllten Träume sie hegt und welche Möglichkeiten sich ihr bieten. Sie hat die Chance, ihre Ehe neu zu beleben, in die sich über die Jahre zu viel Routine eingeschlichen hat. Sie kann sich eine Aufgabe suchen, bei der sie ihre Erfahrung und

Energie sinnvoll einsetzen kann. Vielleicht will sie sich auch fortbilden und Karriere machen oder sich für wohltätige Zwecke engagieren.

Manche Frauen, die bereits Karriere gemacht haben, fühlen sich in ihrem Beruf nun nicht mehr herausgefordert und suchen nach neuen Anreizen.

**Sally** ist fünfundvierzig und hat die oberste Sprosse der Karriereleiter erklommen. Allmählich verliert ihre Rolle als „Vorzeige-Karrierefrau“ an Glanz. „Ich habe in über zwanzig Jahren alles in meinem Job erreicht, was ich erreichen konnte. Ich war immer ehrgeizig, habe Herausforderungen mit Feuereifer angenommen und gemeistert. Aber in letzter Zeit langweilt mich, dass sich mir nichts Neues mehr bietet. Ich möchte zwar keinen ganz neuen Beruf lernen, doch ich brauche eine Veränderung.“

Auch Sally hat verschiedene Möglichkeiten, Veränderungen herbeizuführen. Sie könnte sich mehr freie Zeit gönnen, könnte reisen oder sich für andere Dinge neben ihrem Beruf engagieren. Falls ihre finanzielle Situation es erlaubt, könnte sie sogar über einen vorzeitigen Ruhestand nachdenken, um mehr Zeit für sich zu haben. Wenn sie jetzt die Initiative ergreift und die richtigen Entscheidungen trifft, wird sie noch viele Jahre die Veränderungen genießen können, die sie heute in Gang setzt.

Für **Mary** stellt sich die Situation insofern anders dar, als sie ihren Beruf als Lehrerin liebt. Sie möchte nicht vorzeitig zu arbeiten aufhören, braucht aber ebenfalls eine neue Herausforderung. Die Leute in ihrem Schulbezirk raten ihr, sich um eine Stelle als Konrektorin zu bemühen, um später einmal Schulleiterin zu werden. Andererseits könnte sie sich auch eine beratende Tätigkeit vorstellen. Für beide Alternativen müsste sie zunächst Fortbildungen absolvieren. „Die Aussicht darauf, noch einmal die Schulbank zu drücken, finde ich aufregend und beängstigend zugleich. Mein Studium liegt schon eine ganze Weile zurück und ich fürchte, wenn ich die falsche Entscheidung treffe, mache ich mich unglücklich. Vielleicht bereitet mir die Arbeit als Schulleiterin oder Vertrauenslehrerin viel weniger Spaß als meine jetzige Arbeit mit den Schülern. Und selbst wenn ich den Versuch wagen will: Welche Wahl ist die richtige für mich?"

Mary weiß zwar, dass sie eine Veränderung braucht, aber sie ist unsicher, in welche Richtung sie gehen soll. Was kann sie tun, um herauszufinden, mit welcher Entscheidung sie langfristig glücklich wird?

Vierzig Lebensjahre haben uns mit reichhaltiger Erfahrung ausgestattet und lassen uns manches anders sehen als früher. Viele Frauen stellen jetzt fest, dass das, was für sie mit zwanzig eine kluge und richtige Entscheidung war, sich nun nicht mehr mit ihren Wünschen und Bedürfnissen deckt. Sie sind reifer, kennen sich selbst ziemlich gut und fühlen sich bereit, Neues auszuprobieren.

Der in den Medien propagierte Jugendwahn suggeriert, dass Älterwerden eine Art Abstieg bedeutet, doch das muss keineswegs so sein. Unsere durchschnittliche Lebenserwartung hat sich gegenüber der unserer Vorfahren deutlich verlängert, weshalb es heutzutage nichts Außergewöhnliches ist, wenn jemand noch mit fünfundsiebzig oder achtzig aktiv und vital ist – sei es beruflich oder in der Freizeit. Wer sich für die Zeit nach dem Beruf hinreichend abgesichert hat, kann viele Angebote und Möglichkeiten ausschöpfen.

Dr. Lydia Bronte, Leiterin der Abteilung für Langzeitkarrierestudien am Hunter College, hat 150 Studienabsolventen im Alter zwischen 65 und 101 Jahren befragt.

In ihrem Bericht kommt sie zu dem Ergebnis, dass all diesen Leuten eines gemein war: Um ihren fünfzigsten Geburtstag herum hatten alle eine klare Vorstellung davon, wer sie waren und wohin sie wollten. Karriere und Aufbau der Familie lagen hinter ihnen, und nun verspürten sie ein kreatives Potenzial in sich, das sie nutzen wollten. Und sie vollbrachten, sozusagen „im zweiten Anlauf", ganz erstaunliche Dinge.

Wenn Sie jetzt erkennen, wie Sie die richtigen Entscheidungen für sich treffen, dann steht auch für Sie einem vitalen, befriedigenden, kreativen und möglicherweise atemberaubenden Leben nach vierzig nichts entgegen.

## Unbegrenzte Möglichkeiten

Zugegebenermaßen geht Wandel stets mit Furcht einher, daher dürfen Sie eines nicht vergessen: Egal wie groß der Druck sein mag, der auf Ihnen lastet, wie bitter zu fällende Entscheidungen auf den ersten Blick anmuten – im gegenwärtigen Chaos bietet sich Ihnen die Chance für einen Neuanfang. Sie wählen, in welche Richtung es gehen soll, statt Ihr Leben einfach als Gegebenheit hinzunehmen. Wenn Sie feststellen, dass Ihnen eine alte Rolle abhanden gekommen ist oder vertraute Aufgaben Sie nicht mehr ausfüllen, dann nehmen Sie das als Anstoß für einen Neubeginn.

Wollten Sie schon immer schreiben? „Sich den Traum vom Schreiben erst in fortgeschrittenem Alter zu erfüllen, kann durchaus von Vorteil sein", schreibt Dr. Perry in „Writing in Flow":

> Unsere reiche Lebenserfahrung versetzt uns in die Lage, Muster zu erkennen. Und diese Muster wiederum helfen uns, Geschichten, Essays, Artikel oder Bücher zu schreiben, die aussagekräftig und strukturiert sind. Viele erfolgreiche Autoren haben mit dem Schreiben erst angefangen, nachdem sie ihre Jugend hinter sich gelassen hatten. Nun konnten sie auf einen reichen Erfahrungsschatz zurückgreifen, aus dem sie schreibend größtmögliche Befriedigung gewannen – in manchen Fällen kamen sie sogar zu Ruhm und Ehren. Doch selbst wenn Ruhm und Reichtum ausblieben, dachte keiner daran, das Schreiben wieder aufzugeben.

Ein gutes Beispiel hierfür ist die Sängerin und Schauspielerin Julie Andrews, die mit über sechzig begann, Kinderbücher zu schreiben, und damit bis heute großen Erfolg hat.

Möchten Sie vielleicht schauspielern, Ihr eigenes Unternehmen gründen, tanzen oder musizieren? Wollen Sie endlich all die Bücher lesen, für die Ihnen bisher die Zeit fehlte? Möchten Sie Religion oder Philosophie studieren, bei einem Marathon mitlaufen oder einen Yogakurs machen? Oder würden Sie gern Modedesign lernen, Computergrafiken entwerfen, fotografieren oder etwas Kunsthandwerkliches machen? Wollen Sie Sport treiben, sich ein Haus kaufen oder bauen? Wie steht es mit Reisen oder Fitnesstraining? Vielleicht wollen Sie in Aktien investieren oder aber Sie möchten meditieren. Ihre Chance ist gekommen. Ob es um Vermögenssicherung oder sinnschöpfende Freizeitgestaltung geht, ob Ihre Interessen intellektueller, künstlerischer oder spiritueller Natur sind, ob Sie etwas für Ihren Kopf oder für Ihren Kreislauf tun wollen: Sie können heute damit anfangen, Ihre Vorhaben in die Wirklichkeit umzusetzen.

**Sally** hat sich zusätzliche Freiräume geschaffen, als sie beschloss, von zu Hause aus zu arbeiten. Auf diese Weise kann sie ihre Träume von größeren Reisen wahrmachen, ohne auf ein Einkommen zu verzichten. Sie hat Kontakte geknüpft, die ihr Haustauschangebote im Ausland vermittelten, und Möglichkeiten aufgetan, Englisch via Internet zu unterrichten. Seither reist sie mehr, als sie jemals für möglich gehalten hätte, und verdient dabei auch noch Geld.

Vielleicht war Ihr Leben bislang randvoll mit täglichen Pflichten, sodass Sie keine Zeit hatten, über die Zukunft nachzudenken. Inzwischen sind Ihre Kinder erwachsen und kommen ohne Sie zurecht. Sie selbst haben genügend Erfahrungen gesammelt, um zu wissen, was Sie können und sich zutrauen dürfen. Und nun winkt die Zukunft!

Leider gibt es keine Garantie, dass diese Zukunft durch die Bank erfreulich verläuft. Möglicherweise haben Sie Frauen Ihres Alters gesehen, die sich von der Welt abkapselten, ein freudloses, einsames Dasein führten. Oder Frauen, die all ihre Energie in die Familie gesteckt hatten und plötzlich, als die Kinder aus dem Haus waren, nichts mit sich anzufangen wussten. Aber ganz bestimmt kennen Sie auch Frauen, die regelrecht aufblühten, als ihre familiären Pflichten nach und nach weniger wurden, und die sich beherzt und selbstsicher neue Wege suchten, ihr persönliches Glück zu sichern. Vergleichen Sie diese Frauen miteinander, und überlegen Sie, wie die Zukunft aussieht, die Ihnen vorschwebt.

**Julie** sieht die Hilflosigkeit und das Leiden ihrer Eltern und weiß, dass es ihr in zehn bis zwanzig Jahren genauso gehen kann. Da sie allein stehend ist und keine Kinder hat, muss sie vorsorgen, damit sie bei Bedarf die entsprechende Pflege erhält. Sie möchte ihr Leben so arrangieren, dass sie jederzeit Hilfe in Anspruch nehmen, aber auch die Dinge tun kann, die sie gern tut. Zum ersten Mal planen Julie und ihre Mutter einen gemeinsamen Urlaub. Auf einer Kreuzfahrt wollen sie so richtig entspannen. Als passionierte Hobbygärtnerin hat Julie ferner beschlossen, Gartenbaukurse zu belegen und einem Verein für Hobbygärtner beizutreten. Sie möchte mit anderen Menschen zusammenkommen, die ebenso viel Freude an Gartenarbeit haben, und hofft, jemanden zu finden, mit dem sie später einmal Reisen zu den schönsten Gärten der Welt unternehmen kann.

Lernen Sie Ihre unterschiedlichen Möglichkeiten mit der folgenden Übung kennen.

### Annäherung an Ihre neue Rolle

Für diese Übung verwenden Sie die bisherigen Einträge in Ihrem Tagebuch, um all Ihre Rollen – die alten, die gegenwärtigen und die zukünftigen – intensiv zu beleuchten.

1. ZÄHLEN SIE IHRE ROLLEN AUF. Schreiben Sie alle Rollen auf, die Sie in Ihrem Leben bislang innehatten. Fassen Sie sie zunächst in Oberbegriffe wie beispielsweise „Ehefrau“, „Mutter“, „Geschäftsführerin“, „Assistentin“, „Tochter“, „Schwester“, „Freundin“. Anschließend differenzieren Sie jeden dieser Oberbegriffe nach den einzelnen Funktionen, die zu der jeweiligen Rolle gehören. **Ruth** hat z.B. ihre „Mutterrolle“ in „Köchin“, „Hausmeisterin“, „Taxifahrerin“, „Ernährerin“, „Vertraute“, „Garderobiere“, „Lieferantin“,

„Krankenschwester", „Zahlmeisterin", „Dienstmädchen", „Erzieherin" und zahlreiche andere Begriffe unterteilt. Nehmen Sie sich Zeit, um die Liste so ausführlich wie möglich anzulegen. Vielleicht brauchen Sie mehrere Tage, weil Sie sich selbst dabei beobachten möchten, wie Sie diese Rollen ausfüllen, um genau zu sehen, was alles dazugehört. Ergänzen Sie auch ein paar spaßige Rollen („Sexgöttin", „Augenweide", „Komödiatin").

2. REDIGIEREN SIE IHRE LISTE. Mit Buntstiften oder Textmarkern streichen Sie die Rollen durch, die Ihnen gründlich missfallen, und unterstreichen oder kreisen andere ein, die Ihnen Freude machen. Dann kommentieren Sie jede einzelne Rolle (erlaubt sind alle Kommentare, von „witzig", „eklig", „blöd" bis hin zu ausführlicheren Urteilen). Das ist Ihre Chance, diese Rollen – oft zum ersten Mal – bewusst zu reflektieren. Achten Sie darauf, wie Sie sich dabei fühlen. Wenn Sie Spaß haben und lachen, sind Sie bereits auf dem besten Weg, sich von den alten Rollen zu verabschieden. Sollte Ihnen eher danach sein, Ihr Tagebuch zuzuschlagen und wegzulaufen, haben Sie Angst vor dem, was Sie herausfinden. Üben Sie Geduld mit sich, und denken Sie immer daran, dass Sie aus Ihrem Leben machen können, was immer Sie wollen – es ist nie zu spät. Sollten Sie sich ärgern oder wütend werden, ist das schon ein gutes Zeichen – Wut und Ärger sind Energiequellen, auf die Sie bei den bevorstehenden Veränderungen zurückgreifen können. Falls Sie traurig werden oder sich überfordert fühlen, lassen Sie auch diese Gefühle zu. Nehmen Sie sie als Fingerzeig dafür, dass Sie besser auf sich achten müssen; hinter diesen Gefühlen verbirgt sich alles, was Sie wissen müssen.

**Julies** Gefühle sind gemischt. In ihrer Rolle als Tochter ist sie voller Mitgefühl und Sorge. In ihrer Rolle als „Ersatzelternteil" für die hilflosen Eltern fühlt sie sich verantwortlich und gestresst. Als allein stehende Frau, die sich darauf freut, ihre freie Zeit ihren Bedürfnissen entsprechend verbringen zu dürfen, ist sie enttäuscht und unzufrieden.

3. FÜGEN SIE NEUE ROLLEN HINZU. Nachdem Sie all Ihre Rollen mit Kommentaren versehen haben, sollten Sie über neue Rollen nachdenken. Schlagen Sie die „Wunschliste" in Ihrem Tagebuch auf. Was war Ihr Traumberuf, als Sie Kind waren? Gibt es etwas, das Sie bereuen, getan oder nicht getan zu haben? Wozu hätten Sie gewaltige Lust? Was entspricht am besten Ihrem „eigentlichen" Ich? Worum beneiden Sie andere Frauen (oder Männer)? Was würden Sie tun, wenn Sie einen Sechser im Lotto hätten? Seien Sie nicht realistisch bei dieser Übung, denn realistisch waren Sie Ihr ganzes Leben lang. Seien Sie kreativ, fantasievoll, einfallsreich. Wenn Ihre gute Fee plötzlich auftauchte oder sonst jemand, der Ihnen jeden Wunsch erfüllen könnte, welchen Wunsch hätten Sie? Welche Menschen bewundern Sie am meisten? Wenn Sie diese Fragen beantwortet haben, legen Sie Ihr Tagebuch ein bis zwei Tage zur Seite, bevor Sie zum nächsten Schritt übergehen.

**Karen** beschrieb ihren Traum, als Sängerin Karriere zu machen. Sie stellte sich vor, einen Grammy zu gewinnen und mit berühmten Jazzmusikern durch die Clubs zu tingeln.

4. REDIGIEREN SIE IHRE LISTE ERNEUT. Nachdem Sie sich zwei Tage Pause gegönnt haben, holen Sie erneut Ihr Tagebuch hervor und sehen sich an, was Sie aufgeschrieben haben. Wählen Sie aus der Liste der gegenwärtigen Rollen diejenigen aus, die Sie beibehalten wollen, und diejenigen, von denen Sie glauben, dass Sie sie beibehalten müssen, weil Sie keine andere Wahl haben. Dann picken Sie aus Ihrer Wunschliste ein paar Rollen heraus, die Sie ausprobieren möchten. Mit diesem „Rollenvorrat" machen Sie sich auf den Weg in Ihr neues Ich. Machen Sie sich in kleinen Schritten mit Ihren neuen Rollen vertraut. Sammeln Sie Erfahrungen, aber gehen Sie keine Risiken ein, bei denen Sie sich unwohl fühlen.

**Karen** nahm sich vor, nach Gelegenheiten zu suchen, vor Publikum zu singen. In ihrem Gesangskurs, in einer Karaokebar, dann in der Kirche und bei Veranstaltungen in Krankenhäusern und Seniorenheimen erlangte sie mehr Sicherheit für ihre Auftritte.

Auch die übrigen Übungen in diesem Buch bieten Anregungen, wie Sie sich Ihrem eigentlichen „Ich" annähern können. Sie bauen auf dem auf, was Sie bereits herausgefunden haben, und dienen allesamt dazu, Ihnen zu helfen, Ihre Träume wahr zu machen.

# Die Mitte des Lebens ist nicht immer golden

Einige der Rollenänderungen, die Sie jetzt erfahren, sind freiwillig, andere vorgegeben. Auf viele Frauen kommt nun die besonders schwierige Aufgabe zu, sich um alternde Eltern zu kümmern. Häufig werden sie selbst noch teilweise von ihren Kindern gebraucht, während sie parallel dazu die Pflege der Eltern übernehmen. Wer diese Pflichten obendrein mit einer Berufstätigkeit in Einklang zu bringen versucht, braucht Hilfe und Unterstützung.

Entscheiden Sie, wie Sie den Anforderungen in einer Weise begegnen, die sowohl Ihren Eltern als auch Ihnen selbst gerecht wird. Falls Sie mein Buch über die zehn klügsten Entscheidungen für die Frau unter vierzig gelesen haben, werden Ihnen die folgenden Hinweise bekannt vorkommen. Ich habe sie hier in leicht veränderter Form erneut aufgeführt, weil meine Klientinnen sie als sehr hilfreich empfanden.

## Pflege eines Familienmitglieds

1. BESORGEN SIE SICH SO VIELE INFORMATIONEN WIE MÖGLICH. Informieren Sie sich über psychische, physische und emotionale Probleme, die mit der Krankheit Ihres pflegebedürftigen Familienmitglieds einhergehen. Wenn es in Ihrer Nähe einen Verein oder Verband für Menschen mit dieser Krankheit oder Behinderung und deren Angehörige gibt, können Sie hier Tipps und Hinweise einholen. Mit gesundheitlichen Beeinträchtigungen alter Menschen kennt sich darüber hinaus das ortsansässige Altersheim aus. Rufen Sie dort an oder sprechen Sie persön-

lich vor. Falls Sie einen Internetzugang besitzen, wenden Sie sich an eine der zahlreichen Websites, die sich mit medizinischen Themen befassen. Hier finden Sie Querverweise zu detaillierten Informationen und Selbsthilfegruppen.

2. SPANNEN SIE IHRE GANZE FAMILIE EIN. Sie sollten von Anfang an klarstellen, dass jedes Familienmitglied seinen Teil zur Pflege beiträgt. Verbannen Sie Gegenargumente aus Ihrem Kopf, etwa, dass Sie niemandem eine Last aufbürden oder einen bestimmten Verwandten nicht ansprechen wollen, weil es da noch alte Konflikte gibt, die wieder aufbrechen könnten. Jetzt zählt einzig und allein, dass es für alle Beteiligten leichter wird, wenn sie sich die finanzielle und psychische Belastung teilen.
3. VERTEILEN SIE DIE AUFGABEN SINNVOLL. Stimmen Sie die Arbeitsteilung auf die Möglichkeiten jedes Einzelnen ab. Sofern alle das Gefühl einer gerechten Verteilung der Lasten haben, ist es unerheblich, ob ein Familienmitglied mehr Zeit opfert, während ein anderes sich finanziell stärker engagiert. Beides ist hilfreich. Deshalb sollte niemand nach absoluter Gerechtigkeit streben, weil das Spannungen hervorrufen könnte.
4. SETZEN SIE SICH REGELMÄSSIG ZUSAMMEN. Treffen Sie sich einmal monatlich zum gemeinsamen Gespräch. Auf diese Weise vermeiden Sie, dass sich bei einzelnen Familienmitgliedern Frust aufstaut, weil sie sich von anderen ausgenutzt oder ihren Beitrag zur Pflege nicht ernst genommen fühlen.
5. NUTZEN SIE DIE HILFSANGEBOTE INNERHALB IHRER GEMEINDE. Besonders wenn Sie allein die Pflege eines Familienmitglieds bewältigen müssen, sollten Sie sich erkundigen, welche Hilfe in Ihrer

Gemeinde angeboten wird. Viele scheuen sich, Angehörige in Seniorenheimen oder Pflegeeinrichtungen unterzubringen. Dabei können diese Einrichtungen eine vernünftige Alternative sein, sofern Sie den finanziellen Mehraufwand verkraften. Manchmal ist damit dem pflegebedürftigen Familienmitglied ebenso geholfen wie Ihnen selbst, weil sich Ihre geringere emotionale Belastung positiv auf die Beziehung auswirkt. Wenn Sie einen Angehörigen zu Hause versorgen, sprechen Sie mit dem behandelnden Arzt über ambulante Pflegedienste, die Ihnen einen Teil der Arbeit abnehmen können. Ihre Versicherung und die zuständigen Behörden geben Ihnen Auskunft, wie Sie einen Teil der Kosten erstattet bekommen.

6. HOLEN SIE SICH UNTERSTÜTZUNG. Falls Sie die Pflege eines alten oder pflegebedürftigen Angehörigen mit anderen Familienmitgliedern teilen, nutzen Sie die regelmäßigen Treffen, um Ihre Sorgen loszuwerden und Unterstützung einzuholen. Wenn Sie sich allein um ein Familienmitglied kümmern, sprechen Sie mit Ihren Freunden über Dinge, die Sie belasten, oder schließen Sie sich einer Selbsthilfegruppe oder einem Verband an.
7. GÖNNEN SIE SICH VERSCHNAUFPAUSEN. 1999 veröffentlichte das Journal of the American Medical Association eine Studie, nach der sich die Belastung durch die Pflege eines Familienmitglieds eindeutig negativ auf die Gesundheit der pflegenden Person auswirkt. Schonen Sie Ihre Kräfte, indem Sie dafür sorgen, dass Sie ausreichend Schlaf bekommen und auch sonst Ihre Gesundheit nicht vernachlässigen. Wenn irgend möglich, nehmen Sie sich einen Tag pro Woche oder jedes zweite Wochenende frei; engagieren Sie für diese Tage einen Pflegedienst, der Ihre Pflichten

übernimmt. Nur wenn Sie regelmäßig selbst Ruhe und Kraft tanken, sind Sie den Anforderungen der täglichen Pflege gewachsen.

Von allen Rollenwechseln ist das Vertauschen der Rollen zwischen Eltern und Kindern wahrscheinlich der schwierigste. Plötzlich verlieren wir die Personen, die unser Leben lang für uns da waren. Unser Bedürfnis nach Sicherheit wird gewaltig erschüttert. Deshalb sollten wir in dieser Situation unbedingt Menschen haben, mit denen wir über unsere Sorgen und Nöte sprechen können.

## Die Partnerschaft neu beleben

Von den Veränderungen im Laufe unseres Lebens bleiben unsere engsten Beziehungen nicht verschont. Auch unsere Ehe oder Partnerschaft ist unmittelbar betroffen.

**Ruth** hat große Probleme mit den Änderungen, die sich aus dem geplanten Rückzug ihres Mannes aus dem Berufsleben ergeben werden. Während er davon ausgeht, dass Reisen und die gemeinsame Freizeit ihre Ehe befruchten werden, schwebt ihr vor, sich endlich beruflich weiterzuentwickeln.

Vielleicht befinden Sie sich in einer ähnlichen Situation. Sie und Ihr Ehemann haben sich jahrelang Kindern oder Karriere gewidmet und immer weniger gemeinsam unternommen. Dadurch veränderte sich Ihre Beziehung.

Möglicherweise sind Sie schon sehr lange verheiratet und mit der Zeit ist Ihre Paarbeziehung stagniert, ist der täglichen Routine zum Opfer gefallen. Diese Tatsache müssen Sie keineswegs stillschweigend hinnehmen. Überlegen Sie mit Ihrem Partner (notfalls auch ohne ihn), wie Ihre Beziehung Ihrer Meinung nach aussehen sollte. Was vermissen Sie? Welche Routineabläufe sollten in Zukunft wegfallen? Denken Sie darüber nach, was Sie verändern möchten, und sprechen Sie mit Ihrem Mann oder Lebensgefährten darüber. Sobald Sie benennen können, wo für Sie die Schwächen und wo die Stärken Ihrer Beziehung liegen, können Sie mit Ihrem Partner gemeinsam an ihrer Verbesserung arbeiten. Dafür ist es wichtig, dass Sie offen mit ihm über Ihre Wünsche und Pläne reden. Nutzen Sie die Erkenntnisse, die Sie aus den Übungen in diesem Buch gewinnen, um ihm verständlich zu machen, was in Ihnen vorgeht. Erzählen Sie ihm davon, was Sie über sich selbst herausgefunden haben, damit die Entscheidungen, die Sie treffen, von Ihnen beiden getragen werden.

## Singles über vierzig

Die Ergebnisse der 1996er Volkszählung in den USA enthüllten:

> Die Hälfte aller erwachsenen Amerikaner (77 Millionen Menschen!) ist Single, und die Scheidungsrate hat sich seit 1970 vervierfacht, womit es mehr Scheidungen als Eheschließungen gibt. Die Zahl der Ledigen über 18 Jahre belief sich 1996 auf 44,9 Millionen, was doppelt so hoch ist wie 1970 und einem Anteil von 23 Prozent aller über 18-Jährigen entspricht. Innerhalb der Gruppe der Unverheirateten bildeten die Ledigen mit 59 Prozent die Mehrheit gegenüber 24 Prozent Geschiedenen und 18

> Prozent Verwitweten. Am stärksten nahm die Zahl der Ledigen zwischen Ende zwanzig und Anfang dreißig zu. Bei Frauen zwischen 25 und 29 Jahren verdreifachte sie sich seit 1970 von 11 auf 38 Prozent, bei den Männern stieg sie im selben Zeitraum von 19 auf 32 Prozent. Unter den 30- bis 34-jährigen Frauen hatte sich der Ledigenanteil von 6 auf 21 Prozent und bei den Männern von 9 auf 30 Prozent mehr als verdreifacht.

Die Statistiker kamen zu dem Schluss, „dass sich die Zahl außerehelicher Lebensgemeinschaften (heterosexueller Paare) seit 1970 versiebenfacht hat“. Infolgedessen wächst bei Frauen mit zunehmendem Alter die Wahrscheinlichkeit, Single zu werden. Allerdings bedeutet Single zu sein nicht zwingend, allein zu sein, und wer Single ist, muss es nicht immer bleiben.

## Single ist nicht gleich Solo

Für ein erfülltes Leben brauchen wir andere Menschen. Wenn Sie eine Single-Frau über vierzig sind, fürchten Sie vielleicht, keine Chancen mehr auf eine feste Beziehung zu haben. Sie irren sich! Viele Frauen berichten, Beziehungen, die sie in späteren Jahren eingingen, seien um ein Vielfaches wertvoller und schöner gewesen als jene, die sie als jüngere Frauen hatten. Dies gilt sowohl für Paarbeziehungen als auch für familiäre und freundschaftliche Beziehungen.

Die reiselustige **Sally** betreibt ihr eigenes kleines Unternehmen von zu Hause aus. Da sie allein wohnt, hat sie bei jeder Abwesenheit das Problem, dass niemand da ist, um die Haustiere zu versorgen und sich um das Geschäft zu kümmern. Als ihr kleines Unternehmen langsam wuchs, stellte sie Barbara als Assistentin ein. Die beiden Frauen arbeiteten gut zusammen und verstanden sich blendend, weshalb sie nach einigen Monaten beschlossen, zusammen in Sallys Haus zu leben. Dieser Schritt hat sich für beide bewährt, da sie sowohl beruflich als auch privat harmonieren. Sie stimmen ihre Termine miteinander ab, sodass immer eine von ihnen zu Hause ist, um die Tiere zu füttern und sich um die Firma zu kümmern, während die andere entweder geschäftlich oder zum Vergnügen verreist ist.

Eine Menge Frauen entdecken im Zusammenleben mit gleichgesinnten Frauen, ob in einem gemeinsamen Haus oder als Nachbarinnen, eine Kameradschaft, die sie als sehr schön und lohnend empfinden.

Paare, die sich mit über vierzig finden, stellen häufig fest, dass ihre Beziehungen harmonischer verlaufen als die jüngerer Paare. Beide Partner haben aus den Fehlern früherer Partnerschaften gelernt. Sie hegen jetzt realistischere Erwartungen, sind geübter im Beziehungsalltag und verhalten sich unverkrampfter in der Sexualität.

Die neue Partnerschaft empfinden sie als befriedigender. Als allein stehende Mutter, die nicht länger alle Kraft in den Nachwuchs investieren muss, können Sie mit Ihrem Partner eine Beziehung aufbauen, die Ihren persönlichen Bedürfnissen voll und ganz gerecht wird.

Jetzt begonnene Paarbeziehungen münden in einen Lebensabschnitt, in dem Sie all das genießen können, was Sie sich zuvor erarbeitet haben. Sie sind finanziell abgesichert, reif, selbstbewusst und größtenteils frei von elterlichen Pflichten, und Sie haben ausreichend Freizeit, um Ihren Hobbys nachzugehen, zu träumen, zu reisen, sich weiterzubilden oder sich für etwas zu engagieren, das

Ihnen am Herzen liegt. Und selbst wenn Sie diese Sicherheit und Freiheit noch nicht besitzen, können Sie in jedem Fall anfangen, für diese Zeit zu planen.

Nachdem **Julie** als ledige 63-Jährige alle Hoffnungen in den Wind geschrieben hatte, jemals zu heiraten – zumal sie für ihre Eltern sorgen musste –, begegnete sie Ralph in einem Gesprächskreis für Menschen mit pflegebedürftigen Familienangehörigen. Zunächst tranken sie häufiger zusammen Kaffee, dann halfen sie sich gegenseitig beim Papierkrieg mit den Krankenversicherungen. Schließlich unterstützten sie einander in ihren täglichen Pflichten. Zu beider Überraschung vertiefte sich ihre Beziehung, und heute schmieden sie Heiratspläne. „Ich hätte nie gedacht, dass ich noch einmal ans Heiraten denken würde“, sagt Julie lächelnd. „Aber ich weiß, was für ein liebevoller Sohn und verantwortungsvoller Mann Ralph ist. Er ist zuverlässig und vertrauenswürdig. Das weiß ich, weil ich ihn schon oft in Situationen erlebt habe, die alles andere als romantisch waren. Während der schweren Krankheit meines Vaters hat er mir beigestanden und mich getröstet. Und wir finden jeden Tag etwas, worüber wir gemeinsam lachen können.“

Wenn Sie die Veränderungen, die um die vierzig auf Sie zukommen, als Chancen betrachten, Ihr Leben neu zu überdenken und Dinge auszuprobieren, die Sie schon immer tun wollten, erwarten auch Sie wundervolle neue Rollen und Erfahrungen.

Kapitel III

# Den Spaß an der Arbeit entdecken: Wie Sie Ihre Karriere neu beleben oder sich für etwas vollkommen Neues entscheiden

Zu lieben, was wir tun, oder das Gefühl zu haben, dass es wirklich wichtig ist – was kann mehr Spaß machen?

*Katherine Graham*

Da die meisten Frauen heute darauf angewiesen sind, sich ihren Lebensunterhalt zu verdienen beziehungsweise den der Familie mit zu sichern, haben sie mit über vierzig reichlich Berufserfahrungen gesammelt. Als Single, allein erziehende Mutter oder Alleinverdienerin der Familie ist es sogar überlebensnotwendig, über ein geregeltes Einkommen zu verfügen.

Finanzielle Sicherheit ist ein Grundpfeiler für ein zufriedenes Leben. Wie wichtig sie genau ist und wie Sie sich für die Zukunft ein finanzielles Polster zulegen, werde ich an späterer Stelle näher ausführen. Für das Jahr 2000 stellte der U.S. News & World Report fest, dass „ 4,7 Millionen Amerikaner – mehr als je zuvor und mehr als in Zukunft zu erwarten sind – in diesem Jahr ihren vierzigsten Geburtstag ‚feiern'. Sie sind gesünder, haben eine bessere Ausbildung und mehr Möglichkeiten als ihre Vorgänger. Dabei sind sie finanziell deutlich weniger abgesichert als es ihre Eltern und auch noch ihre älteren Geschwister in ihrem Alter waren ... Sie arbeiten härter, hetzen von der Arbeit nach Hause, um sich um kleine Kinder oder pflegebedürftige Eltern zu kümmern, und bemühen sich, ein wenig Zeit herauszuschlagen, um etwas für ihre körperliche Fitness zu tun."

Arbeit bedeutet weit mehr als Gelderwerb und finanzielle Sicherheit. Wer einen Vollzeitjob hat, verbringt den größten Teil seiner Wachstunden am Arbeitsplatz. Sollten Sie sich in Ihrer Tätigkeit unausgefüllt, gelangweilt oder gar erdrückt fühlen, zögern Sie nicht länger, über eine Veränderung nachzudenken.

## In kleinen Schritten zum Ziel

Sollten Sie das Gefühl haben, in Ihrem Job zu stagnieren, können Sie Ihr Problem oft direkt an der Quelle, an Ihrem Arbeitsplatz selbst, beheben. Prüfen Sie, inwieweit Sie einzelne Merkmale Ihrer Tätigkeit verändern und so neuen Schwung in Ihren Arbeitsalltag bringen können. Mit Hilfe der nachfolgenden Denkanstöße können Sie Veränderungen initiieren, mit denen Sie Ihren Job wieder spannender und befriedigender gestalten.

## Wie Sie Ihren Arbeitstag verändern

1. FINDEN SIE HERAUS, WAS SIE STÖRT. Wenn Sie in Ihrem Job unglücklich oder unterfordert sind, keine Aufstiegsmöglichkeiten sehen oder sich unterschätzt fühlen, fragen Sie sich, woran das liegt. Waren Sie früher mit Ihrer Arbeit zufrieden, denken Sie nach, wann genau sich Ihre Einstellung geändert hat.
2. SUCHEN SIE NACH EINFACHEN LÖSUNGEN. Prüfen Sie, welche Möglichkeiten Ihr Arbeitgeber Ihnen bietet. Zahlt Ihre Firma Fortbildungen? Können Sie sich in andere Sachgebiete einarbeiten lassen? Falls Ihre Probleme sich vor allem auf eine bestimmte Person in Ihrem unmittelbaren Arbeitsumfeld beziehen: Kann Ihnen die Abteilungsleitung oder der Betriebsrat helfen, oder könnten Sie sich in eine andere Abteilung versetzen lassen?

Bevor **Rose** beschloss, sich als Suchtberaterin selbstständig zu machen, versuchte sie, bei ihrem früheren Arbeitgeber eine Position zu finden, die ihren Neigungen eher entsprach. **Sally** hörte gern die Sorgen anderer an und half ihnen bei der Problemlösung. Deshalb bat sie ihren Chef, sie als Vermittlerin bei Personalkonflikten in den verschiedenen Filialen des Unternehmens einzusetzen. In dieser Funktion konnte sie ihre neu gewonnenen Kenntnisse unter Beweis stellen und war lange Zeit zufrieden. Gleichzeitig konnte sie sich selbst von ihrer Eignung als Beraterin überzeugen.

3. ZEIGEN SIE, WAS SIE KÖNNEN. Nutzen Sie Ihre Fähigkeit, kluge Entscheidungen zu treffen, und zeigen Sie anderen, was Sie können. Glänzen Sie mit Ihrer Arbeit. Wenn Sie über Stärken verfügen, die bisher

nicht an Ihrem Arbeitsplatz verlangt wurden, suchen Sie Wege, diese zukünftig zu integrieren. Wenn Sie beispielsweise zu Hause einen Computer haben, im Job aber noch nicht an einem Computerplatz sitzen, bieten Sie an, sich zu Hause in die in der Firma angewendeten Programme einzuarbeiten oder einzelne Projekte an Ihrem Heimcomputer zu bearbeiten. Wenn Sie Vorschläge zur Optimierung von Arbeitsabläufen haben, schreiben Sie sie auf, um sie dem zuständigen Geschäftsführungsmitglied vorzulegen.

Als **Karen** anfing, ihren Kollegen bei Computerprojekten zu helfen, bekam der Geschäftsführer ihres Lebensmittelgeschäfts mit, wie sicher sie auf diesem Gebiet war. Karen gab nützliche Anregungen, wie sich das hauseigene Computersystem für eine bessere Nutzung durch die Kassierer umstellen ließe, und er nahm ihre Vorschläge dankend an. Als kurze Zeit darauf die Stelle einer Abteilungsleiterin frei wurde, schlug er Karen vor. Für sie bedeutete diese Beförderung nicht nur deutlich mehr Gehalt, sondern eine Verbesserung in jeder Beziehung.

4. GESCHÄFT IST GESCHÄFT. Die lässige Atmosphäre, die heutzutage am Arbeitsplatz vorzuherrschen scheint, ist trügerisch. Tappen Sie nicht in die Falle, Ally McBeals Arbeitstag in locker-beschwingter Umgebung für bare Münze zu nehmen. Verhalten Sie sich professionell, auch wenn Ihre Kollegen tun, als befänden sie sich auf einer gemütlichen Stehparty. Das heißt nicht, dass Sie sich steif und zugeknöpft geben müssen, aber Sie sollten daran denken, dass Ihr Arbeitsplatz nicht Ihr Wohnzimmer ist. Gehen Sie nicht mit Ihren persönlichen Angelegenheiten hausieren, und behalten

Sie die Interessen Ihrer Firma im Auge – es geht um Kunden, Produkte und Profite. Wenn Sie Ihren Job ernst nehmen und Engagement zeigen, wird man Ihre Professionalität zu würdigen wissen und Sie auf die Liste für die nächsten Beförderungen setzen.

**Marians** Kollegen und Kolleginnen in der Rechtsauskunft kleideten sich betont leger, während sie selbst stets auf ein korrektes Erscheinungsbild achtete. Bei der Zusammenarbeit mit anderen Kanzleien hatte sie mit Absicht nie in der Gerüchteküche mitgemischt. Als sie nun begann, sich nach einer Vollzeitstelle umzusehen, erwies sich ihr durchgängig professionelles Auftreten als ausgesprochen vorteilhaft.

5. MACHEN SIE SICH MIT DER POLITIK IHRER FIRMA VERTRAUT. Jedes Unternehmen hat seine eigene Politik. Sie sollten die Regeln kennen und mit ihnen leben können, um sich Frustration und eventuell sogar rechtliche Konsequenzen zu ersparen. Wenn Sie enttäuscht und verärgert sind, weil Sie für ein schlecht geführtes Unternehmen arbeiten, in dem sinnlos Geld verschleudert wird, überlegen Sie sich gut, ob Sie damit auf Dauer zurechtkommen können. Ein ernsteres Problem stellt sich, wenn Sie in einer Firma angestellt sind, deren Unternehmenspraktiken fragwürdig bis unlauter sind. Sollten Sie an Ihrem Arbeitsplatz öfter das Gefühl haben, Dinge nicht zu durchschauen, die sich hinter den Kulissen abspielen, seien Sie auf der Hut. Eventuell werden hier Geschäfte gemacht, die Ihnen widerstreben und unter Umständen sogar gefährlich werden können. Häufig genügen schon ethische Widersprüche, um uns den Arbeitsalltag zu vermiesen. Wenn Sie beispielsweise die Ideen

großer Umweltorganisationen unterstützen und zugleich für ein Tagebauunternehmen tätig sind, kann dieser Zwiespalt recht aufreibend sein. Zur Not sollten Sie ernsthaft in Erwägung ziehen, die Firma und vielleicht sogar die Branche zu wechseln.

6. SCHÄTZEN SIE IHRE AUFSTIEGSCHANCEN REALISTISCH EIN. Als Frau über vierzig stoßen Sie unter Umständen an eine Beförderungsgrenze. Es gibt nach wie vor zahlreiche Unternehmen, in denen die Aufstiegschancen für Frauen, Angehörige bestimmter Bevölkerungsgruppen und ältere Mitarbeiter stark eingeschränkt sind. Falls Ihre Firma dazugehört, überlegen Sie sich reiflich, ob Sie den Kampf gegen verkrustete Strukturen aufnehmen oder sich lieber einen anderen Arbeitgeber suchen wollen. Manchmal lassen sich mit Hilfe von Gewerkschaften oder Kollegen in höheren Positionen Dinge bewegen. Falls Sie sich entschließen, Ihr Unternehmen auf Reformkurs bringen zu wollen, seien Sie gewappnet für das, was auf Sie zukommt. Sichern Sie sich die finanzielle und moralische Unterstützung einer der großen Arbeitnehmerorganisationen und holen Sie sämtliche Informationen ein, die Sie bekommen können. Selbst wenn Sie Ihre Interessen durchboxen können, dürften Sie künftig kaum zu den beliebtesten Angestellten Ihrer Firma gehören. Daher sollten Sie auch die Alternativen prüfen – etwa Ihr eigenes Unternehmen zu gründen oder in eine Firma mit modernerer Ausrichtung zu wechseln.
7. HALSEN SIE SICH NICHT ZU VIEL VERANTWORTUNG AUF. Ich treffe in meiner Praxis viele Frauen, die unter Stress leiden, weil sie sich mehr Verantwortung als nötig aufhalsen. Sicher bereitet es Spaß und Befriedigung, Arbeitsabläufe effizienter zu

gestalten oder Produkte zu verbessern, aber es ist überflüssig, sämtliche Probleme innerhalb eines Unternehmens allein lösen zu wollen. Wenn Ihnen die Firma, für die Sie arbeiten, nicht gehört (und selbst wenn Sie Ihnen gehört!), gibt es keinen zwingenden Grund, weshalb Sie all Ihre Kraft und Energie auf deren Erfolg verwenden müssen. Ihr Job ist klar definiert, und daran sollten Sie sich halten.

Übrigens erweisen sich Frauen, die dazu neigen, zu viel Verantwortung zu übernehmen, oft als perfekte Unternehmerinnen. Sie besitzen Organisations- und Planungstalent, sind ehrgeizig und offen für Veränderungen.

8. BLEIBEN SIE AUF DEM LAUFENDEN. Aktualisieren Sie Ihren Lebenslauf von Zeit zu Zeit. Ganz gleich wie wohl Sie sich momentan fühlen – irgendwo gibt es vielleicht einen noch besseren Job. Außerdem kann sich Ihre Situation jederzeit verändern, weshalb Sie regelmäßigen Kontakt zu einem guten Jobberater halten sollten. Darüber hinaus sollten Sie auf dem Laufenden bleiben, wie sich die Gehälter in Ihrer Branche entwickeln beziehungsweise welche Chancen sich Ihnen in einer anderen Branche bieten. Je besser Sie informiert sind, umso stärker ist Ihre Position in Gehalts- und Beförderungsverhandlungen mit Ihrem Arbeitgeber.
9. SPRECHEN SIE VON SICH AUS GEHALTSERHÖHUNGEN ODER BEFÖRDERUNGEN AN. Wenn Sie den Eindruck haben, dass Ihnen eine Gehaltserhöhung oder eine Beförderung zusteht, Ihre Firmenleitung sich aber nicht rührt, scheuen Sie sich nicht, das Thema von sich aus anzusprechen. Selbstverständlich sollten Sie sich vorher informiert haben, welche For-

derungen Ihrerseits vernünftig und durchsetzbar sind. Wählen Sie einen günstigen Zeitpunkt, etwa nachdem Sie gerade einen erfolgreichen Abschluss für Ihre Firma erzielt haben. Zeigen Sie Ihrem Arbeitgeber, was Sie wert sind.

**Sally** hat ihren Lebenslauf und ihre Beurteilungen regelmäßig auf den neuesten Stand gebracht. Über ihren Berufsverband und andere Quellen blieb sie stets gut informiert über neue Möglichkeiten in ihrem Beruf. Ihr Einkommen stieg kontinuierlich, weil sie bei jedem Arbeitsplatzwechsel auf fundierte Informationen zurückgreifen konnte, die ihr bei den Gehaltsverhandlungen zugute kamen. Und für den Fall, dass ihre Forderungen nicht erfüllt wurden, hatte sie genügend Alternativen zur Hand. Ihre Arbeitgeber wussten das und schätzten Sallys Arbeit, sodass sie meist bereit waren, ihren Vorstellungen zu entsprechen.

## Die richtige Arbeit für Sie

Sie haben das Gefühl, dass es dringend Zeit für eine berufliche Veränderung ist, Sie wissen aber nicht, in welche Richtung diese zielen soll? Prüfen Sie Ihre Talente, Fähigkeiten, Vorlieben und Abneigungen, um sich ein Bild von dem Job zu machen, der Ihnen am ehesten zusagen, zu Erfolg und Glück verhelfen würde.

### Eine Diagnose Ihrer beruflichen Kompetenz

Ihr Tagebuch, in dem Sie bereits zwei Übungen notiert haben, bietet Ihnen eine Orientierung, wie die beruflichen Veränderungen aussehen sollten, die für Sie am besten sind. Die folgende Übung spielt verschiedene Karrierewege durch, bevor Sie sich für einen von ihnen entscheiden sollen. Fangen Sie mit Ihren bisherigen Berufserfahrungen an (falls Sie bisher Ehefrau und Mutter waren, gilt dies selbstverständlich auch als Berufserfahrung).

1. BEGINNEN SIE MIT DER ÜBERSCHRIFT „KOMPETENZEN". Unter dieser Überschrift listen Sie alle Fähigkeiten auf, die Sie sich im Laufe Ihres bisherigen Berufslebens angeeignet haben. Dazu zählen: Terminkoordination, Budgetplanung, Ausgabenkontrolle, Teamführung. Schreiben Sie auf, welche technischen oder EDV-Kenntnisse Sie haben. Vergessen Sie Ihre kommunikativen Fähigkeiten nicht. Unterrichten Sie, machen Sie Präsentationen, haben Sie Verkaufsquoten, auf die Sie sich stützen können? Dann listen Sie Ihre organisatorischen Fertigkeiten auf, die in einer effizienten Lebensmittelbevorratung bis hin zur Ausrichtung größerer Werbeveranstaltungen bestehen können. Und zum Schluss schreiben Sie auf, worin Sie sich wirklich als Expertin fühlen: Sind Sie in rechtlichen Dingen bewandert, in Buchhaltungsfragen, in der Erwachsenenbildung? Kennen Sie sich mit Trends gut aus oder im internationalen Warenverkehr?

**Karen** hat als Kellnerin gejobbt, während sie einen Kassiererinnenlehrgang absolvierte. Dabei konnte sie ihre Fähigkeiten auf dem Gebiet Organisation und Personalmanagement ausbauen, weil beides in diesem Job wieder und wieder auf dem Prüfstein steht. Als allein erziehende Mutter brachte sie einige ausgiebig erprobte Fertigkeiten wie Budgetplanung, Kinderbetreuung, Terminkoordination, Nachhilfe und Lernbetreuung, Ernährungsplanung, Organisation von Reinigungsarbeiten usw. mit. Hinzu kamen all die Kompetenzen, die sie sich an ihrem Arbeitsplatz angeeignet hatte.

2. SEHEN SIE SICH DIE DINGE GENAUER AN, DIE SIE BISHER BESONDERS GUT GEMEISTERT HABEN. Überlegen Sie, ob diese eventuell auf neue Weise zu kombinieren wären. **Rose** hat erkannt, dass die Fähigkeiten, die sie zu einer guten Kosmetikerin machen, anderweitig besser einzusetzen wären. Sie hat erlebt, dass die Menschen gern zu ihr kommen und von ihren Problemen erzählen. Dass sie außerdem prima mit ihren Mitarbeitern klar kam, als sie den Friseursalon einmal allein leitete, bestärkte sie in ihrer Überzeugung, es könnte ihr gelingen, eine eigene Beratungspraxis zu führen.
3. ERKUNDEN SIE IHRE JOBMÖGLICHKEITEN. Sehen Sie sich auf dem Arbeitsmarkt um. Lassen Sie sich beraten, welche Möglichkeiten Ihnen offen stehen. Und befragen Sie Freunde und Bekannte, wie es ihnen in ihren Jobs ergeht, wie ihr Arbeitstag aussieht, was ihnen gefällt und was nicht.
4. BETRACHTEN SIE DIE UNTERNEHMEN IHRER REGION. Blättern Sie in den Gelben Seiten, und suchen Sie nach Unternehmen, die am besten zu Ihren Kompetenzen und Fähigkeiten passen. Finden Sie möglichst viel über diese Firmen heraus. Weckt eines der Unternehmen Ihr Interesse, bitten Sie um ein Gespräch mit der Geschäftsleitung, um Näheres zu erfahren. Die meisten Menschen reagieren geschmeichelt, wenn man sich für sie und ihre Arbeit interessiert, und nehmen sich gern Zeit.

**Karen** arbeitete in ihrer Freizeit gern am Computer. Sie half Freunden bei der Gestaltung ihrer Website und entdeckte im Internet einige hierauf spezialisierte Agenturen. Ihr kam der Gedanke, ihre Erfahrungen als allein erziehende Mutter mit ihren Computerkenntnissen zu verbinden, um Websites oder Internetwerbung für Unternehmerinnen zu entwerfen. Dabei galt ihr Interesse in erster Linie solchen Branchen, die sinnvolle Angebote für allein erziehende Mütter machten. Weil sie sich nicht sicher war, ob sie den Schritt in die Selbstständigkeit wagen sollte, sah sie sich zunächst einmal um, welche Jobs sich ihr in ihrer Umgebung boten.

Finden Sie heraus, welche Firmen am ehesten zu Ihren Talenten und Fähigkeiten passen. Danach liegt die Entscheidung bei Ihnen, ob Sie sich um eine Stellung in einem der für Sie interessanten Unternehmen bewerben oder sich mit dem, was Sie können und wissen, selbstständig machen.

## Selbstständigkeit? Warum nicht?

Jenseits der vierzig sehen sowohl Männer als auch Frauen ihre Chancen auf dem Arbeitsmarkt schwinden. Sie wissen, dass es für sie von nun an deutlich schwieriger werden wird, den Job zu wechseln. Mit der rasanten technologischen Entwicklung hat sich bei vielen Arbeitgebern das unsinnige Vorurteil festgesetzt, jüngere Leute seien lernfähiger und schneller im Begreifen als Menschen mit längerer Berufserfahrung. Berufstätige Frauen kommen aufgrund dieser Entwicklung mehr und mehr zu dem Schluss, eine Selbstständigkeit mindere nicht nur das wachsende Risiko einer künftigen Arbeitslosigkeit, sondern biete ihnen darüber hinaus mehr Flexibilität, Unabhängigkeit und mehr Ansporn.

Vielleicht träumen Sie schon lange von einem eigenen Unternehmen oder aber eine Selbstständigkeit kommt überhaupt nicht in Frage für Sie. Egal wie Sie momentan darüber denken – erkunden Sie Ihre Möglichkeiten. Heutzutage machen sich viele Frauen ihre Lebenserfahrung, ihre Talente und ihr Wissen zunutze, um Dienstleistungen, Produkte oder Sonstiges anzubieten.

„Derzeit liegt der Anteil der Frauen bei inländischen Alleinunternehmern bei 30 Prozent!" schreibt Carol Milano in ihrem Buch „Hers: The Wise Woman's Guide to Starting a Business on $2,000 or Less". „Gemäß dem Nationalverband der Unternehmerinnen ist die Zahl der von Frauen geführten Unternehmen zwischen 1986 und 1997 prozentual gesehen zweimal so stark angestiegen wie der Bundesdurchschnitt. Im letzten Jahrzehnt verzeichneten die von Frauen geführten Unternehmen einen Zuwachs von 78 Prozent."

Eine eigene Firma zu gründen, muss nicht unbedingt eine Menge Geld verschlingen. Milano zählt vier Faktoren auf, wie Sie bei der Firmengründung Geld sparen können:

1. BEGINNEN SIE MIT EINEM HEIMBÜRO. Ein Büro zu Hause spart Kosten, und wenn Sie Kinder haben, hat es den Vorteil, dass Sie sich weiterhin um diese kümmern können. Ein kleines Arbeitszimmer, eine ausgebaute Garage, ein Kellerraum, selbst eine Ecke in der Küche reichen anfangs aus, um mit minimalstem Risiko in der Selbstständigkeit Tritt zu fassen. Außerdem können Sie so Ihre Zeiten flexibler gestalten, falls Sie nebenher noch in einem anderen Job arbeiten.

2. BIETEN SIE LIEBER EINE DIENSTLEISTUNG AN ALS EIN PRODUKT. Serviceleistungen haben den Vorteil, dass Sie kein Geld in Material und Ausstattung investieren müssen. Die meisten Unternehmen, die von Frauen geführt werden, finden sich auf dem Dienstleistungssektor. Schauen Sie sich um, welche Dienstleistungen in Ihrer Region gefragt sind oder sein könnten. Wenn Sie eine begabte Köchin sind, erkundigen Sie sich, ob es in Ihrer Gegend einen Bedarf für Catering oder kalorienarme Fertiggerichte gibt. Wenn Sie sich mit Computern auskennen oder Buchhaltungserfahrung haben, bieten Sie einen Service auf diesem Gebiet an. Relativ unkompliziert im Aufbau sind Dienstleistungen in den Bereichen Haushalts- und Bürohilfen, Schularbeitenhilfe, Computerkurse oder Privatunterricht in Musik oder Sprachen.
3. WÄHLEN SIE EINE BRANCHE, DIE WEDER KOSTSPIELIGE AUSSTATTUNGEN NOCH TEURE MATERIALIEN BRAUCHT. Fangen Sie so einfach wie möglich an. Zusätzliche Arbeitsmaterialien schaffen Sie Zug um Zug von dem Geld an, das Sie bereits verdient haben.
4. MACHEN SIE KOSTENGÜNSTIG AUF IHREN SERVICE AUFMERKSAM. Beginnen Sie in Ihrem vertrauten Umfeld. Werben Sie in kleinen Anzeigenblättern, auf Pinnwänden in Supermärkten oder durch Handzettel. Sobald Sie sich in Ihrem Umfeld etabliert haben, können Sie Ihre Werbemaßnahmen allmählich ausweiten.

Viele Unternehmen von Frauen, sei es Anita Roddicks The Body Shop, Mrs. Fields Cookies oder Martha Stewart Inc., haben ganz klein angefangen und sich langsam zu Millionengeschäften entwickelt. All diese

Frauen haben das getan, was sie am besten konnten und sind mit ihren Unternehmen gewachsen. Ihre Erfolge basieren durchwegs auf der Tatsache, dass sie zu jeder Zeit wussten, was sie wollten und wie sie es mit geringstmöglichem Risiko erreichen konnten.

William Larson zählt in seinem Buch „No More 9 to 5: *What to Do When You Can't Find a Job, Don't Want a Job, or Are Unhappy with the Job You Have*" drei entscheidende Faktoren auf, die unentbehrlich sind, wenn man als Unternehmerin Erfolg haben will:

1. „ES MUSS EINE IDEE SEIN, FÜR DIE SIE SICH LANGFRISTIG INTERESSIEREN UND BEGEISTERN KÖNNEN." Je mehr Enthusiasmus Sie für Ihr Projekt aufbringen, umso leichter wird es Ihnen fallen, die bisweilen zähe und mühselige Anfangsphase durchzuhalten.
2. „EIN BEDARF MUSS BESTEHEN ODER KREIERT WERDEN KÖNNEN." Wenn Sie eine Idee haben, die Sie in die Tat umsetzen wollen, sollten Sie sich genau umsehen, ob ein Bedarf für Ihre Dienstleistung vorhanden ist beziehungsweise Sie diesen wecken könnten.
3. „ES SOLLTE ETWAS SEIN, DAS SIE GUT KÖNNEN." Unter Umständen empfiehlt es sich, Kurse zu besuchen oder die eigenen Fähigkeiten auf andere Weise zu vervollkommnen. Nur wenn Sie wirklich gute Arbeit leisten, können Sie sich einen Ruf erwerben, der die Zukunft Ihres Unternehmens sichert. Kunden, die Sie per Mund-zu-Mund-Propaganda weiterempfehlen, sind Ihre kostengünstigste und effektivste Werbung.

Das Internet bietet viele Möglichkeiten, ein Unternehmen zu gründen, für die Sie nicht mehr mitbringen müssen als eine gute Idee. Website-Design, Online-Auktionen und Dienstleistungen – das und vieles mehr wird heutzutage im Netz angeboten. Die moderne Technologie hat die Bandbreite unternehmerischer Möglichkeiten immens erweitert!

## Schöne neue Welt: Arbeit im neuen Jahrtausend

Während des letzten Jahrhunderts haben sich die Karrieremöglichkeiten für Frauen von faktisch nicht gegeben in beinahe unbegrenzt gewandelt. Frauen können heutzutage so gut wie jeden Beruf ergreifen. Zwar stoßen sie hier und da noch auf Hindernisse, aber mit der nötigen Motivation und einer Portion Durchsetzungsvermögen überwinden sie auch die letzten Hürden.

Dank Computern, Faxgeräten, Mobiltelefonen und Internet können immer mehr Menschen ihre Arbeit von zu Hause aus erledigen. Das bedeutet flexiblere Arbeitszeiten und die Chance, verschiedene Jobs parallel zu betreiben. Telearbeit ist besonders günstig für Frauen mit kleineren Kindern, weil sie ihren Arbeitsrhythmus den Bedürfnissen ihrer Kinder anpassen können.

Sobald Sie sich für eine bestimmte Arbeit entschieden haben, die Sie gern machen würden, informieren Sie sich über die Möglichkeiten, die sich hier durch die neuen Kommunikationsmedien ergeben. Wenn Sie beispielsweise gern und gut schreiben, können Sie im Prinzip von jedem Punkt auf dem Globus aus für Zeitungen, Zeitschriften, Werbeagenturen texten und Ihre Arbeit dann per E-Mail an Ihre Auftraggeber schicken.

Wenn Sie ein Zahlengenie sind, können Sie einen Buchhaltungs- und Steuerberatungsservice anbieten, der sich ebenfalls per elektronischem Datentransfer abwickeln lässt.

Sollten Sie sich für eine Verkaufstätigkeit in einem Unternehmen interessieren, profitieren Sie auch hier von modernen Technologien. Die Unternehmen selbst haben die Zeichen der Zeit erkannt und schätzen die Vorteile, die sie ihnen bieten. Sie statten ihre Verkaufsrepräsentanten mit Laptops und Handys aus und sparen teure Büroflächen ein.

Selbstverständlich hat auch der technologische Fortschritt seine Kehrseiten. Da Arbeit jederzeit möglich ist, besteht die Gefahr, dass wir uns von unserer Arbeit verzehren lassen. Viele fragen sich, wie es sein kann, dass bei aller Arbeitserleichterung und Zeitersparnis durch technische Hilfsmittel die Berufstätigen heute beschäftigter denn je sind. Weil wir mehr machen können, erwarten wir auch automatisch von uns, dies tatsächlich zu tun. Deshalb müssen wir nicht nur lernen, wie man die technischen Möglichkeiten nutzt, sondern vor allem auch, wie man ihnen nicht zum Opfer fällt. Wachsende Freiheit und Unabhängigkeit stellen größere Anforderungen an die Organisationsfähigkeit jedes Einzelnen. Die eigene Zeit sinnvoll einzuteilen und dabei keinen Aspekt zu kurz kommen zu lassen, ist in dieser Phase überlebenswichtig. In der folgenden Übung schaffen Sie sich Ihr ideales Arbeitsumfeld. Versuchen Sie dabei, Beruf und Privatleben in ein ausgewogenes Verhältnis zu bringen.

## Ihr idealer Arbeitsplatz

Bitten Sie eine Freundin hinzu, die Ihnen die nachfolgenden Anweisungen vorliest, oder sprechen Sie sie selbst auf ein Band, das Sie sich später vorspielen. Die Anweisungen sollten ruhig und langsam vorgelesen werden.

Setzen Sie sich auf einen bequemen Stuhl, Füße flach auf den Boden stellen und entspannen. Schließen Sie die Augen. Stellen Sie sich vor, Sie wären einige Jahre in die Zukunft versetzt und wachten morgens an einem normalen Arbeitstag auf. Nehmen Sie sich in aller Ruhe die Zeit, sich einen idealen Tagesbeginn auszumalen. Sie freuen sich auf Ihre Arbeit. Worauf freuen Sie sich? Sie stehen auf. Wie bereiten Sie sich auf den Tag vor? Was ziehen Sie an? Wie kommen Sie zur Arbeit? Wo arbeiten Sie? Gibt es andere Menschen, die Sie sich vorstellen? Beschreiben Sie sie. Bewegen Sie sich in Gedanken weiter durch diesen Tag, und genießen Sie Ihre Arbeit. Beobachten Sie, was genau Ihnen an dem gefällt, was Sie tun. Achten Sie auf jedes Detail. Dann stellen Sie sich vor, wie Sie nach der Arbeit nach Hause zurückkehren. Überlegen Sie, wie Sie Ihren Feierabend verbringen. Ist jemand bei Ihnen? Was tun Sie?

Malen Sie sich Ihren idealen Tag in Ihrem idealen Job so anschaulich aus, wie Sie wollen. Anschließend schreiben Sie Ihre Vision in Ihr Tagebuch. Unterziehen Sie Ihren Fantasietag einer eingehenden Betrachtung. Sicher können Sie das eine oder andere Element in Ihren gegenwärtigen Arbeitsalltag einbringen.

**Laurie** führte ähnliche Visualisierungen innerhalb ihrer Therapie durch und fand dabei heraus, dass sie allesamt darum kreisten, anderen Menschen auf sehr persönliche Weise zu helfen. Mit Hilfe dieser Erkenntnis kam sie zu dem Entschluss, in einem Hospiz zu arbeiten.

Ergründen Sie Ihre Gefühle und Ihre Talente, um einen beruflichen Weg einzuschlagen, der Sie langfristig erfolgreich und zufrieden macht. Wenn Sie den größten Teil Ihrer Wachstunden an einem Arbeitsplatz verbringen, an dem Sie produktiv und kreativ sein können, wird Ihre Arbeit Ausdruck Ihrer Persönlichkeit.

Kapitel IV

# Soziale Bindungen festigen: Freundschaften suchen und pflegen

> Erkennen wir im Blick eines anderen Menschen, dass wir verstanden werden, so erfüllt uns sogleich tiefe Dankbarkeit. Das Glücksmoment ist ähnlich wie beim Anblick einer Oase inmitten einer öden Wüste.
>
> *Alice Clark*

Positive freundschaftliche und familiäre Bindungen machen unser Leben erst schön. All unsere Erfahrungen und unsere Erfolge werden um ein Vielfaches bedeutender, wenn wir sie mit nahe stehenden Menschen teilen können. Mit dem Älterwerden werden Freundschaften umso mehr zu jenem Faktor, der ein erfülltes von einem einsamen Leben unterscheidet. Wurden Sie nach traditionellen Werten erzogen, hat man Ihnen sicherlich beigebracht, dass Ihr Ehemann und Ihre Kinder Ihr Ein und Alles sein sollten. Wenn Sie eine liebevolle Familie Ihr Eigen nennen können, haben Sie wirklich Glück. Natürlich lege ich Ihnen nicht nahe, Mann und Kinder zu vernachlässigen und mit Freundinnen um die Häuser zu ziehen. Trotzdem: Für reifere Frauen von heute ist der Freundeskreis oft die verlässlichste Quelle enger Beziehungen. Eine ständig wachsende Anzahl Frauen entscheidet sich dafür, Single zu bleiben; die Menschen werden immer mobiler, womit sie sich zwangsläufig weiter von ihren Ursprungsfamilien entfernen. Daher gewinnen Freundschaften einen neuen Stellenwert, weil sie letztlich die Quelle enger Verbundenheit repräsentieren, die früher durch die Familie verkörpert wurde.

Jüngere Studien haben bestätigt, wie wichtig eine Vielfalt sozialer Bindungen für unser physisches und psychisches Wohlbefinden ist. Florence Isaacs schreibt in ihrem Buch „Toxic Friends, True Friends“:

> Alle Anzeichen sprechen dafür, dass soziale Bindungen unserer Gesundheit zugute kommen und bei Krankheit unseren Genesungs-, wenn nicht gar unseren Überlebenswillen stärken. Je mehr Freunde eine Person hat – je dichter das soziale Netz um sie herum geknüpft ist – umso älter wird sie ... Ein tragfähiges Netzwerk von Freunden, Nachbarn, Kollegen oder anderen Menschen, die einem beistehen, erleichtert nicht nur vieles – es fördert darüber hinaus ein längeres, gesünderes und glücklicheres Leben. Soziale Bindungen schützen uns gegen Stress und stressbedingte Leiden wie Bluthochdruck, Alkoholismus und Herzinfarkt.

# Neue Freundschaften suchen und alte pflegen

Langjährige Freundschaften sind etwas Wunderbares und Wertvolles, doch sollten Sie nicht vergessen, dass sich Ihr Freundeskreis unweigerlich reduzieren wird, je älter Sie werden. Da gibt es Freunde, die fortziehen, und solche, die früh sterben. Die Lösung: Erweitern Sie Ihren Freundeskreis! Das macht Spaß! Und sofern Sie schon lange keinen Menschen mehr näher an sich herangelassen haben, eröffnet sich Ihnen die Chance, Ihren Begriff von Freundschaft neu zu definieren und Ihr Zugehen auf andere zu beleuchten. Ich werde Ihnen in diesem Kapitel helfen, beides zu tun.

Sollten all Ihre Freundschaften seit vielen Jahren bestehen und Ihr Leben nur wenig bereichern, etwa weil Sie sich in erster Linie auf Ihre Familie konzentrieren, hilft Ihnen die folgende Übung. Diese Übung soll Ihnen bei der Klärung helfen, was Sie sich von einer Freundschaft erhoffen und selbst zu geben bereit sind. Das Ergebnis mag Sie überraschen. Aber zunächst suchen Sie sich eine ruhige Ecke, in die Sie sich mit Ihrem Tagebuch zurückziehen können.

## Freundschaftsanalyse

1. FREUNDSCHAFT GEBEN. Was für eine Freundin sind Sie eigentlich? Wenn Sie das erfahren wollen, machen Sie in Ihrem Tagebuch eine Liste, die aufführt, wie Sie Ihre Freunde/Freundinnen behandeln. Seien Sie ehrlich! „Ich bin nett zu ihnen“, ist für die Übung weniger brauchbar als: „Ich höre ihnen zu und kritisiere sie nicht.“ Betiteln Sie Ihre Liste mit „Freund-

schaft geben“ und beantworten Sie die folgenden Fragen so ausführlich wie möglich:

- Wie behandeln Sie Ihre Freundinnen?
  - Sind Sie aufmerksam und hilfsbereit?
  - Interessieren Sie sich für das, was sie Ihnen erzählen?
  - Gehen Sie vertraut miteinander um oder eher distanziert?
  - Bemühen Sie sich, die Gefühle Ihrer Freundinnen nicht zu verletzen?
  - Ist es Ihnen wichtig, Ihren Freundinnen gegenüber höflich zu bleiben?

- Wie kommunizieren Sie mit Ihren Freundinnen?
  - Sind Sie liebevoll, oder ziehen Sie eine gute Unterhaltung einer Umarmung vor?
  - Verschicken Sie gern Grußkarten, Briefe oder E-Mails?
  - Telefonieren Sie lieber oder treffen sich lieber zu einem Kaffee?
  - Sind Sie gern mit mehreren Freunden/Freundinnen zusammen, oder ziehen Sie es vor, sich auf eine Freundin/einen Freund konzentrieren zu können?

Nennen Sie so viele Details, wie Sie können. Es geht darum, genau herauszufinden, wie Sie sich gegenüber Freunden verhalten.

2. FREUNDSCHAFT EMPFANGEN. Wie möchten Sie von Ihren Freunden behandelt werden? Hinter zwischenmenschlichen Beziehungen verbergen sich individuell unterschiedliche Muster. Um das für Sie geltende Muster zu erkennen, denken Sie darüber nach, wie Ihre

Freunde Ihrer Meinung nach auf Sie zugehen sollten. Fertigen Sie eine Liste an mit der Überschrift „Freundschaft empfangen“, und seien Sie so gründlich wie bei der ersten Liste. Einige Fragen, die Ihnen helfen können:

- Wie verbringen Sie die Zeit mit Ihren Freunden am liebsten?
  - Gehen Sie gern in der Gruppe aus?
  - Finden Sie einen ruhigen Abend schöner?
  - Ziehen Sie häufige oder seltenere Treffen vor?

- Was erwarten Sie von Ihren Freunden?
  - Wünschen Sie sich, dass sie Ihnen zuhören?
  - Erwarten Sie vor allem Respekt und Zustimmung?
  - Lassen Sie sich gern beschenken, bekommen Briefe und Grußkarten, oder ist Ihnen ein persönlicher Kontakt wichtiger?

Fahren Sie mit ähnlichen Fragen fort, bis Sie eine genaue Vorstellung davon haben, was Ihnen an einer Freundschaft wichtig ist.

3. VERGLEICHEN UND ANALYSIEREN SIE IHRE ANTWORTEN. Sehen Sie sich beide Listen an, und vergleichen Sie, was Sie zu geben bereit sind und was Sie im Gegenzug erwarten. Bei dieser Übung geht es nicht darum, dass Sie sich selbst kritisieren, sondern dass Sie besser durchschauen lernen, was Ihnen Freundschaft bedeutet. Viele Menschen geben andere Dinge, als sie selbst zu empfangen hoffen. Sie versenden beispielsweise Grußkarten oder Briefe, hätten aber selbst lieber einen Anruf. Einige Menschen hören anderen aufmerksam zu, legen aber wenig Wert darauf, viel von sich preiszugeben. Diese Übung soll

Ihnen erkennen helfen, welche Form der Zuwendung Sie sich wünschen und welche Sie anzubieten haben.

Möglicherweise möchten Sie den Listen an diesem Punkt noch etwas hinzufügen oder etwas darin streichen, weil Sie bestimmte Dinge in Zukunft verändern wollen. Verändern Sie die Listen so lange, bis Sie das Gefühl haben, sie würden Ihre Präferenzen optimal spiegeln.

4. DEFINIEREN SIE FREUNDSCHAFT NEU. Verfassen Sie auf Basis dieser beiden Listen eine neue Liste mit dem Titel „Meine Idealvorstellung von Freundschaft". Die Auswertung Ihrer überarbeiteten Einträge in beiden Listen kann zu überraschenden Ergebnissen führen: Vielleicht sind Sie ein Mensch, für den ein offenes Gespräch an erster Stelle steht, oder Sie treiben gern gemeinsam mit anderen Sport. Möglicherweise gilt Ihr vorrangiges Interesse menschlicher Wärme und Nähe. Oder Sie halten Ihre freundschaftlichen Beziehungen lieber auf einer förmlicheren Ebene, weil Sie sich sonst zu sehr bedrängt fühlen. Die Qualität Ihres Freundschaftsbegriffs richtet sich allein danach, was Sie möchten und was Ihnen wichtig ist.
5. LEBEN SIE IHRE NEUE DEFINITION IN DER PRAXIS. Nachdem Sie endlich einmal genau wissen, was Sie sich von Freundschaften erhoffen, können Sie Ihr Leben mit mehr „idealen" Freundschaften anreichern. Dafür gibt es zwei verschiedene Methoden:

- Sie können bereits existierende Freundschaften verändern, indem Sie Ihre Freunde beispielsweise bitten, mit Ihnen gemeinsam Dinge zu unternehmen, oder mehr Zeit mit jenen Freunden verbringen, die Ihrem Ideal am nächsten kommen.

- Sie können neue Freundschaften suchen, indem Sie beispielsweise Kollegen, Nachbarn oder Mitglieder Ihrer Gemeinde fragen, ob Sie zusammen einem Hobby nachgehen oder vielleicht hin und wieder einen Kaffee trinken wollen. Sie könnten sich einem Literatur- oder Gesprächskreis anschließen oder Kurse besuchen, die sich mit Themen beschäftigen, die Sie interessieren. Hier lernen Sie Gleichgesinnte kennen, woraus sich möglicherweise neue Freundschaften ergeben.

### Wie finde ich neue Freunde?

Falls Sie meinen, Sie hätten nicht genügend Freunde, gebe ich Ihnen einige Tipps, wie Sie neue Freunde finden. Diese Tipps sind allgemein gehalten und sollten Ihren Vorlieben gemäß modifiziert werden.

1. GEHEN SIE UNTER MENSCHEN. Wenn Sie mit Menschen zusammentreffen möchten, die etwas mit Ihnen gemeinsam haben, müssen Sie sich Gruppen suchen, die Ihre Interessen teilen. Freizeitclubs, Wohltätigkeits- oder Sportvereine, Kurse oder Gesprächskreise – hier finden Sie Leute, die sich für dieselben Dinge begeistern wie Sie.
2. SUCHEN SIE NACH GEEIGNETEN KANDIDATEN. Regelmäßige Treffen von Gruppen mit gemeinsamen Interessen bieten Ihnen die Möglichkeit, die anderen Mitglieder in Ruhe kennen zu lernen. Mit der Zeit finden Sie heraus, welche Kandidaten für eine Freundschaft in Frage kämen. Sobald Ihnen jemand besonders zusagt, sprechen Sie die Person während der gemeinsamen Treffen häufiger an, um mehr über sie zu erfahren. Falls das Interesse gegenseitig ist, regen Sie an, sich vor

oder nach den Gruppentreffen auf einen Kaffee zu verabreden. Zumeist ergeben sich daraus häufigere gemeinsame Unternehmungen, die schon bald zu einem freundschaftlichen Verhältnis führen.

3. VERGESSEN SIE NICHT DIE MENSCHEN, DIE SIE BEREITS KENNEN. Während Sie neue Freundschaften suchen, sollten Sie nicht die Leute übersehen, die Sie bereits kennen. Gibt es ein Familienmitglied, mit dem Sie gern öfter zusammenkämen? Rufen Sie ihn oder sie an, und regen Sie einen Spaziergang oder ein gemeinsames Mittagessen an. Gibt es Menschen in Ihrer Firma, Ihrer Kirchengemeinde, Nachbarschaft oder Ihrer sonstigen Umgebung, mit denen Sie sich vorstellen könnten, häufiger zusammenzusein? Nehmen Sie Kontakt zu diesen Menschen auf, und lassen Sie sie wissen, dass Sie gern etwas mit ihnen unternehmen würden.

Freundschaften sind wichtig – für unsere geistige und körperliche Gesundheit und für unser Selbstwertgefühl. Sollten Sie bislang der Meinung gewesen sein, dass es schwierig ist, interessante Menschen kennen zu lernen, versuchen Sie es mit einem der oben genannten Vorschläge. Sie werden feststellen, dass es gar nicht so schwer ist, nette Menschen zu finden, die sich freuen, wenn Sie ihre Freundschaft suchen.

## Ihre beste Freundin sind Sie selbst

Die Beziehung, die Sie zu sich selbst haben, entscheidet darüber, wie Sie auf andere Menschen zugehen. Je freundlicher und rücksichtsvoller Sie sich selbst gegenüber eingestellt sind, umso klarer ist Ihre Vorstellung von dem, was Freundschaft eigentlich bedeutet.

Sobald Sie erkennen, dass Sie selbst Ihre beste Freundin sind, gewinnen Sie mehr Zutrauen in Ihre Entscheidungen, was sich wiederum positiv auf Ihr Verhalten anderen gegenüber auswirkt. Kultivieren Sie den inneren Dialog mit sich selbst, um von Ihrer eigenen Stärke zu profitieren. Reflektieren Sie Ihr Denken, Fühlen und Handeln, um zu einer sichereren Selbsteinschätzung zu gelangen. Die folgende Übung zeigt Ihnen, wie Sie sich selbst als beste Freundin behandeln.

**Innere Freundschaft finden**

1. NEHMEN SIE IHR TAGEBUCH ZUR HAND. Schreiben Sie Ihre Antworten auf folgende Fragen auf:

- Welches Verhältnis habe ich zu mir selbst?
    - Unterstütze ich, was ich bin und denke?
    - Ist mir meine Meinung wichtig oder achte ich eher auf die Meinung anderer?
    - Treffe ich Entscheidungen, indem ich sie mit mir selbst erörtere, oder neige ich dazu, mich unnötig zu sorgen und selbst zu verunsichern?
    - Bin ich gern mit mir allein oder vermeide ich das Alleinsein lieber?
    - Feiere ich meine Leistungen und Erfolge?
    - Kann ich mich selbst motivieren, Dinge auszuprobieren?
    - Neige ich zu übertriebener Selbstkritik?

Fügen Sie beliebig viele andere Fragen hinzu, die Sie sich stellen möchten.

2. VERGLEICHEN SIE IHRE ANTWORTEN MIT IHRER DEFINITION EINER IDEALEN FREUNDSCHAFT. Möglicherweise kommen Sie zu dem irritierenden Schluss, dass Sie sich selbst vollkommen anders behandeln als Ihre Freunde. Während Sie Versprechen anderen gegenüber zuverlässig einhalten, werden Sie sich selbst gegenüber immer wieder wortbrüchig. Vielleicht sind Sie auch alles andere als freundlich und respektvoll sich selbst gegenüber. Sie nörgeln unentwegt an sich herum, kritisieren alles, was Sie tun. Sie sagen keine einzige Verabredung ab, nehmen sich aber kaum Zeit für sich. Stellen Sie die Freundschaft zu sich selbst auf die Probe, indem Sie fragen: Sollte jemand Sie so behandeln, wie Sie sich selbst behandeln, würden Sie diejenige Person zur Freundin haben wollen?
3. STÄRKEN SIE DIE FREUNDSCHAFT MIT SICH SELBST. In der vorangegangenen Übung haben Sie erfahren, welche Art von Freundschaft Sie sich wünschen. Nachdem Sie nun die Unterschiede zwischen Ihren „externen“ Freundschaften und Ihrer „internen“ Freundschaft gesehen haben, kommt einiges an Arbeit auf Sie zu. Nehmen Sie sich zunächst einmal vor, sich in Zukunft besser zu behandeln, und setzen Sie dieses Vorhaben Schritt für Schritt um.

Ein erster Schritt besteht darin zu versuchen, sich selbst genauso zu behandeln, wie Sie eine gute Freundin behandeln würden. Fragen Sie sich: „Was würde ich tun und sagen, wenn Maggie in meiner Lage wäre?“ Aller Wahrscheinlichkeit nach wären Sie weit netter zu Ihrer Freundin, als Sie es zu sich selbst sind. Was sagen Sie einer Freundin, wenn Sie meinen, sie hätte etwas Wichtiges übersehen? Sind Sie mit sich selbst strenger? Indem Sie beide Ansätze vergleichen, gewinnen Sie eine Orientierung, wie Sie ein freundlicheres Verhältnis zu sich selbst aufbauen. Schreiben Sie auf, wie Sie zu Ihrer besten Freundin werden könnten, und handeln Sie danach.

**Julie** hat beschlossen, jeden Tag zwanzig Minuten bei einer Tasse Tee in ihrem Garten zu verbringen, sich jede Woche etwas Besonderes zu gönnen – zum Beispiel einen Besuch bei der Kosmetikerin – und sich jeden Morgen ein paar Minuten lang aufmunternde Worte zu sagen.

4. DURCH AUSDAUER ZU MEHR SELBSTVERTRAUEN. Sie brauchen Ausdauer, wenn Sie lernen wollen, sich selbst zu mögen und zu schätzen. Seien Sie nett und rücksichtsvoll mit sich. Entwerfen Sie klare Richtlinien, wie Sie mit sich Freundschaft schließen können, und platzieren Sie eine Liste mit diesen Richtlinien an einem Ort, an dem Sie sie so oft wie möglich sehen. Diese Liste aktualisieren Sie Ihren Fortschritten entsprechend wöchentlich – mindestens sechs Wochen lang. Mit der Zeit werden Sie feststellen, dass es Ihnen immer leichter fällt, sich selbst gut zu behandeln und sich dabei zusehends wohler fühlen.

Sich selbst zu mögen ist alles andere als egozentrisch. Vielmehr werden Sie über kurz oder lang erkennen, dass Sie dadurch sicherer im Umgang mit anderen Menschen werden: Es fällt Ihnen leichter, anderen eine gute Freundin zu sein und zu akzeptieren, dass andere Sie mögen.

## Ihre Freundschaft zu Ihrem Partner

Viele von uns ordnen Ehepartner oder Lebensgefährten eher nicht in die Kategorie „Freunde“ ein, obwohl Freundschaft eine grundlegende Voraussetzung für das Funktionieren jeder Beziehung ist. Partner, die einander als gute Freunde bezeichnen, finden mehr Verständnis und Befriedigung in der Ehe oder Lebensgemeinschaft. Darüber hinaus haben sie mehr Spaß zusammen. Partner, die auch Freunde sind, verbringen ihre Zeit humorvoller, liebevoller und offener im Umgang miteinander. Nutzen auch Sie die Chance, die Freundschaft in Ihrer Paarbeziehung neu zu beleben oder zu intensivieren.

### Nutzen Sie die „Fundgrube“ Ihrer Beziehung

Jedes Paar hat eine gemeinsame Geschichte – ich spreche von der „Fundgrube“ einer Beziehung. Ist diese Fundgrube angefüllt mit hässlichen Machtkämpfen, Streitereien und Vertrauensbrüchen, haben die Partner kaum etwas, worauf sie sich stützen können, wenn es gilt, Krisen gemeinsam zu meistern. Demgegenüber haben Paare, die auf eine gemeinsame Geschichte voller Vertrauen, Zusammenhalt und liebevollem Miteinander zurückblicken, ein gesundes „Polster“ und die nötige Stärke, auch schwierige Zeiten zu bestehen. Nachfolgend gebe ich einige Anhaltspunkte, wie Sie sicherstellen können, dass Ihre Fundgrube alles enthält, was Ihre Beziehung zum langfristigen Überleben braucht.

## Wie entsteht eine positive Beziehungsfundgrube?

Um ein positives Klima zwischen Ihnen und Ihrem Partner zu bewahren, sollten Sie folgende Schritte befolgen:

1. BETONEN SIE POSITIVE ASPEKTE IHRER BEZIEHUNG. Führen Sie sich ganz bewusst die Stärken Ihres Partners vor Augen. Sagen Sie sich immer wieder, was Sie an Ihrem Partner besonders mögen. Wenn Sie einander unterstützen und zusammen daran arbeiten, dass es beiden Partnern in der Beziehung gut geht, werden Ihre Liebe und Ihr gegenseitiges Vertrauen mit jedem Tag wachsen. Bemühen Sie sich, hässliche Bemerkungen und ungerechtfertigte Kritik aus Ihrer Paarbeziehung zu verbannen. Sollte es Ihnen nicht gelingen, bestimmte Konflikte aus dem Weg zu räumen, wenden Sie sich an eine Eheberatung – entweder allein oder zu zweit.
2. TUN SIE TÄGLICH ETWAS FÜREINANDER. Wir nehmen unseren Partner allzu leicht für selbstverständlich. Versuchen Sie, Ihrem Partner täglich mit kleinen Gesten für das zu danken, was er an Positivem zu Ihrer Beziehung beisteuert. Hinterlassen Sie ihm eine kleine Grußnote, wenn Sie aus dem Haus gehen, nehmen Sie sich die Zeit für einen Spaß, eine Umarmung, einen Kuss oder ein freundliches Wort. Egal wie nichtig und unbedeutend diese Gesten auf den ersten Blick scheinen mögen: Genau sie sind es, die über die Jahre Ihre Fundgrube mit positiver gemeinsamer Vergangenheit anreichern und ein festes Band zwischen Ihnen beiden knüpfen.
3. BLEIBEN SIE GESPRÄCHSBEREIT. Sie sollten mindestens einmal pro Woche miteinander über alles

reden, was Sie beschäftigt. Sprechen Sie über Ihre Gefühle, Ihre Sorgen und versuchen Sie gemeinsam, Lösungen für Ihre Probleme zu finden. Nur wenn Sie regelmäßig alles besprechen, was Ihnen Sorgen macht, vermeiden Sie, dass sich Dinge aufstauen, die sich irgendwann zu einem massiven Problem auswachsen. Bei solchen Gesprächen sollten Sie auch die positiven Dinge erwähnen. Sorgen Sie für einen schönen Rahmen: ein sonntägliches Frühstück im Bett, ein romantisches Essen in einem Restaurant oder bei Kerzenschein zu Hause. Eine angenehme Atmosphäre ist wichtig, damit Ihr regelmäßiger Austausch zu einem weiteren positiven Erlebnis wird, das Sie Ihrer Fundgrube hinzufügen.

4. DOKUMENTIEREN SIE DIE SCHÖNSTEN DINGE IHRER EHE IN EINEM BUCH. Mit den Jahren wird ein solches Buch zu einem wunderbaren Fundus, weil es reflektiert, wo die Stärken Ihrer Beziehung liegen. Ergänzen Sie es mit Fotos von besonderen Anlässen sowie Briefen oder Karten, die Sie von Ihrem Partner erhalten haben. Viele Frauen führen Bücher über die Entwicklung ihrer Kinder. Ihr Beziehungstagebuch erfüllt denselben Zweck. Betrachten Sie es als Konzentrat mit Fotos und Souvenirs, die während Ihres gemeinsamen Lebens gesammelt wurden. Und vergessen Sie nicht, dann und wann mit Ihrem Partner darin zu blättern.

## Freunden Sie sich mit Ihren Kindern an

Müttern fällt es bisweilen schwer mitanzusehen, wie schnell ihre Kinder flügge und unabhängig werden. Ihre

Rolle wechselt nun vom fürsorglichen, verantwortungsvollen Elternteil zu der einer Freundin und Ratgeberin. Wachsen Ihre Kinder heran, geht es immer weniger darum, ihnen Regeln vorzugeben, als vielmehr darum, sie Ihrer Freundschaft zu versichern. Wenn Ihnen und Ihren Kindern dieser Übergang gelingt, können Sie einander künftig als gleichberechtigte Erwachsene begegnen und schätzen. Für Eltern gibt es kaum etwas Wertvolleres, als wenn ihre Kinder zu verantwortungsbewussten Erwachsenen werden, mit denen sie eine lebenslange, tiefe Freundschaft verbindet.

Während der vergangenen Jahre habe ich mit vielen meiner Klientinnen einen Richtlinienkatalog erprobt, der sich als sehr hilfreich erwiesen hat. In meinem Buch über die zehn wichtigsten Entscheidungen, die eine Frau über 40 treffen muss, habe ich sehr ähnliche Richtlinien für jüngere Frauen empfohlen, die ihre Beziehung als Erwachsene innerhalb ihrer Ursprungsfamilie neu definieren wollen. In abgewandelter Form ist dieser Katalog auch für Sie hilfreich.

### So helfen Sie Ihren Kindern, zu Ihren Freunden zu werden

1. NENNEN SIE IHRE ERWACHSENEN KINDER BEI IHREN RICHTIGEN NAMEN UND NICHT BEI KOSENAMEN AUS DER KINDERZEIT. Kosenamen sind für kleine Kinder in Ordnung. Aber je älter Ihre Kinder werden, umso eher fühlen sie sich erst dann voll respektiert, wenn Sie sie bei ihrem richtigen Namen rufen. Darüber hinaus ruft Ihnen der „Abschied“ vom Kosenamen ins Bewusstsein, dass aus Ihrem Kind ein junger Erwachsener geworden ist.

2. SPRECHEN SIE MIT IHREN KINDERN ÜBER „ERWACHSENENTHEMEN“. Wenn Ihre Kinder älter werden, sollten sich Ihre gemeinsamen Gespräche nicht mehr auf rein familienspezifische Themen oder Dinge beschränken, die nur das Kind und sein Umfeld betreffen. Sprechen Sie mit Ihren Kindern über allgemeine Themen, die Sie interessieren und beschäftigen – so wie Sie es auch mit Freunden tun. Politik, aktuelles Tagesgeschehen, Sport, Veranstaltungen, Ihre Arbeit oder Ereignisse aus der unmittelbaren Umgebung – all diese Themen sind möglich.

Nörgeln und ständige Ermahnungen sind schon bei jüngeren Kindern kaum effektiv; bei erwachsenen Kindern sind sie zudem unzulässig. Natürlich sollten Sie Grenzen setzen und sicherstellen, dass Verantwortungslosigkeit und schlechtes Benehmen Folgen haben, aber verkneifen Sie sich ständiges Kritisieren. Auf Wünsche Ihrer größeren Kinder sollten Sie nur dann reagieren, wenn sie angemessen vorgetragen werden. Beziehen Sie ältere Kinder aktiv in familiäre Planungen ein, und machen Sie ihnen klar, dass Sie von ihnen erwarten, eine gewisse Verantwortung im gemeinsamen Zusammenleben zu übernehmen.

3. KINDER UND ENKELKINDER. Wenn Ihre erwachsenen Kinder selbst Kinder bekommen, dann haben Sie ihnen Erfahrungen voraus, die sehr hilfreich sein können. Aber auch Sie müssen bereit sein, von Ihren Kindern zu lernen. Wahrscheinlich bereiten die jungen Eltern sich mit Büchern und Kursen auf die Aufgabe vor, die auf sie zukommt. Hören Sie zu, was Ihre Kinder bereits wissen, und unterhalten Sie sich mit ihnen vernünftig wie unter Erwachsenen. Vielleicht

machen Ihre Kinder vieles ganz anders als Sie damals, aber deshalb dürfen Sie nicht gleich beleidigt sein, und noch weniger sollten Sie unerbetene Ratschläge erteilen.

4. REAGIEREN SIE NICHT, WENN IHR HERANWACHSENDES KIND ETWAS ÄRGERLICHES SAGT ODER TUT. Ignorieren Sie das Fehlverhalten einfach und wechseln Sie das Thema. Behandeln Sie Ihr heranwachsendes Kind mit derselben Gelassenheit, mit der Sie den heranwachsenden Kindern Ihrer Freunde begegnen. Stellen Sie sich vor, Sie säßen am Tisch einer befreundeten Familie und eines der Kinder dort benähme sich daneben. Was würden Sie tun? Sie würden es schlicht ignorieren, um sich nicht in einen Familienzwist hineinziehen zu lassen. Außerdem würden Sie sich um Ihrer Freunde willen vermutlich bemühen, etwas Freundliches zu sagen, das die Situation entschärft.
5. BITTEN SIE IHRE KINDER UM MEINUNGEN UND VORSCHLÄGE. Wir können Kinder schon sehr frühzeitig ermutigen, sich ihre eigene Meinung zu Ereignissen und Entscheidungen zu bilden, die die Familie betreffen. Wenn sie älter werden, sollten wir sie so oft wie möglich fragen, wie sie über bestimmte Dinge denken. Sobald Ihre Kinder erwachsen sind, erbitten Sie ihren Rat in beruflichen, finanziellen oder sonstigen Fragen. Sich gegenseitig mit Rat und Tat zur Seite zu stehen zeichnet ein freundschaftliches Verhältnis aus.
6. VERMEIDEN SIE EINE EINSEITIGE KOMMUNIKATION. Als Mutter ist Ihnen die Rolle der Fürsorgerin am vertrautesten. Wahrscheinlich geht es Ihnen und Ihren Kindern mit dieser einseitigen Rollenverteilung sogar lange Zeit gut. Trotzdem sollten Sie irgend-

wann für mehr Gleichgewicht sorgen. Ihre Beziehung zu Ihren Kindern verkümmert zwangsläufig, wenn Sie immer nur Gebende (oder Nehmende) sind. Verlieren Sie Ihr Ziel nicht aus den Augen: das freundschaftliche Verhältnis zu Ihren Kindern. Sollten Letztere Sie auf die Rolle der Ewig-Gebende reduzieren wollen, machen Sie ihnen konkrete Vorschläge, was sie im Gegenzug für Sie tun können und sollten.

Wenn Sie diese Richtlinien über einige Monate hinweg befolgen, werden Sie feststellen, dass sich Ihr Verhältnis zu Ihren Kinder grundlegend wandelt. Nun können Sie sich entspannt zurücklehnen und die Erwachsene sein, die Sie sein wollen. Sie werden sich mit Ihren Kindern besser verstehen als zuvor, weil Sie endlich wie Gleichgestellte miteinander kommunizieren.

## Die Familie als Freundeskreis

Außer Ihrem Partner und Ihren Kindern können auch Ihre Geschwister und andere Familienmitglieder gute Freunde für Sie sein. Anhand der „Freundschaftsanalyse-Übung" erkennen Sie, zu welchen Angehörigen Sie gern mehr und engeren Kontakt hätten. Wenn zwischen Ihnen und einem Familienmitglied ein langjähriger Konflikt schwelt, den Sie allein nicht beilegen können, sollten Sie sich eventuell an einen Therapeuten wenden. Obwohl es unwahrscheinlich ist, dass Sie zu Ihrer gesamten Verwandtschaft ein freundschaftliches Verhältnis aufbauen können, werden Sie doch überrascht sein, welches Potenzial hier schlummert und dass Sie möglicherweise all die

Jahre übersehen haben, welch gute Freunde direkt in Ihrer Familie zu finden sind.

## Zufallsfreundschaften

Manche Menschen werden zu Freunden, weil ihre Lebensumstände sie zufällig zusammenführen. Kollegen gehen häufiger gemeinsam zum Mittagessen und werden einander allmählich recht vertraut. Dann wechselt einer von beiden den Job, und der Kontakt bricht ab. Ein anderes Beispiel sind Nachbarn, mit denen Sie sich gut verstehen, bevor sie fortziehen. Auch solche Freundschaften überdauern die räumliche Trennung in der Regel nicht.

Andererseits wissen Sie bestimmt aus eigener Erfahrung, wie es ist, Freunde nach längerer Zeit erstmals wiederzusehen: Es scheint, als wären Sie niemals getrennt gewesen. Ihre Beziehung beruht auf so vielen gemeinsamen Erlebnissen und Wertvorstellungen, dass sie stark und überlebensfähig bleibt. Zufallsfreundschaften bergen selten das Potenzial für tiefe Bindungen, was nicht bedeuten muss, dass sie weniger wert sind.

Es ist gut möglich, dass Sie in eine neue Umgebung ziehen, wo Sie Menschen kennen lernen, die Ihnen sympathisch sind – auch wenn Sie nicht das Gefühl haben, dass Sie allzu viel miteinander verbindet. Hieraus ergeben sich lockere freundschaftliche Beziehungen. Beide Parteien profitieren gleichermaßen, doch keine hat ein besonderes Interesse daran, das Verhältnis zu vertiefen.

**Mary** genoss die gemeinsamen Mittagessen mit ihren Lehrerkolleginnen, bei denen sie sich über ihre Probleme mit Schülern und Lehrplänen austauschen konnten. Mit einer Kollegin traf sie sich jeden Morgen zum Joggen. Als Mary an eine andere Schule wechselte, wurden diese Kontakte durch neue ersetzt.

Entwickeln Sie keine Schuldgefühle, weil Sie Zufallsfreundschaften unterhalten, von denen alle Beteiligten profitieren. Genießen Sie, was Sie im Moment aneinander haben. Auf keinen Fall sollten Sie auf diese Form temporärer Freundschaft verzichten oder versuchen, sie als mehr zu deuten, als sie tatsächlich ist.

## Der Freundeskreis

Freundschaften sind wie eine Anordnung konzentrischer Kreise. Den äußersten Kreis bilden jene Menschen, die wir mögen, aber nicht allzu gut kennen – Kollegen, Gemeindemitglieder oder Leute, mit denen wir zusammen in einer Gruppe oder einem Verein sind. Hinzu kommen Freunde von Freunden sowie nette Bekannte. Die meisten dieser Menschen werden uns im Laufe unseres Lebens nicht näher sein, als sie es jetzt sind. Wir sehen sie verhältnismäßig häufig und finden sie sympathisch. Vielleicht ergeben unsere Lebensumstände, dass wir eine Zeit lang mit ihnen befreundet sind, doch wir wissen, dass diese Freundschaften unter die Kategorie „Zufallsfreundschaft" fallen und nicht von Dauer sind. Falls sich unter Ihren Zufallsfreundschaften jemand findet, den Sie besonders mögen, ist es allemal lohnend, sich um einen näheren Kontakt zu bemühen. Zeigen Sie der betreffenden Person, dass Sie sich für sie interessieren. Bitten Sie sie zu einem Kaffee oder laden Sie sie mit ein, wenn Sie eine Party veranstalten.

Vielleicht wechselt die eine oder andere Zufallsfreundschaft in einen der weiter innen gelegenen Kreise, in dem sich engere Freundschaften entwickeln. Sie beide wollen einander näher kennen lernen und herausfinden, welche Gemeinsamkeiten Sie haben. Mit ein wenig Bemühen und Glück kann daraus eine enge Freundschaft werden. Dieser Prozess braucht Zeit, doch dafür entsteht am Ende eine Bindung, die Sie über lange Zeit begleiten wird.

**Mary** hat unter den Lehrerinnen ihrer alten Schule eine Freundin gefunden. Susan und sie fingen irgendwann an, abends länger miteinander zu telefonieren, und für Mary war es gut zu wissen, dass sie mit Susan ihre Zukunftspläne besprechen konnte. In ihren Gesprächen wurden die beiden Frauen immer vertrauter miteinander, und für Mary war Susan eine wertvolle Hilfe. Noch Jahre später, als beide an unterschiedlichen Schulen arbeiten, verbindet sie eine tiefe Freundschaft.

Nichts bereichert unser Leben so sehr wie die Freundschaften, auf die wir uns stützen können. Und je älter wir werden, umso wichtiger wird es, Menschen zu haben, auf die wir zählen können. „Manche Menschen sind zufrieden, wenn sie wenige gute Freunde haben“, schreibt Florence Isaacs in „Toxic Friends, True Friends.“ „Freundschaften bringen Pflichten mit sich. Sie fordern unsere Zeit und unsere Aufmerksamkeit. Zugleich bedeuten mehr Freundschaften mehr Chancen für persönliches Wachstum. Je mehr Freunde man hat, umso größer wird die Chance, dass all unsere Bedürfnisse nach Vertrautheit und Bestätigung durch andere befriedigt werden. Ist ein guter Freund einmal nicht zu erreichen, gibt es einen anderen, an den wir uns wenden können.“

Kapitel V

# Ein gesunder Geist braucht einen gesunden Körper: Was Sie für Ihre Gesundheit tun können und sollten

Wir sollten nicht vergessen, dass unsere Körper dem weiblichen Prinzip gehorchen. Sie brauchen Ruhe, Pflege und jemanden, der ihnen sagt, dass sie perfekt sind, so wie sie sind.

*Dr. Christiane Northrup*

Jüngste Statistiken über die allgemeine Lebenserwartung in den USA haben ergeben, dass eine Frau, die 1900 geboren wurde, eine Lebenserwartung von 50,7 Jahren hatte, die sich auf 72,68 erhöhte, sofern sie mit vierzig vollkommen gesund war. Für Frauen, die 1960 geboren wurden, erhöht sich der Ausgangswert auf 73,24 Jahre und nach dem vierzigsten Geburtstag auf 80,9 Jahre. Wir leben länger, doch wenn wir auch gesünder und produktiver leben wollen, müssen wir beizeiten in unsere geistige und körperliche Gesundheit investieren.

Was Sie vielleicht nicht wissen: Mit vierzig treten Sie statistisch in die Gruppe der „angehenden älteren Bürger" ein. Und Ihr Wohlbefinden als älterer Mensch hängt davon ab, was Sie jetzt dafür tun. Wollen Sie Ihre „goldenen Jahre" genießen, müssen Sie vor allem dafür sorgen, dass Sie gesund bleiben. Wahrscheinlich haben Sie sich bislang vor allem um die Gesundheit und das Wohlbefinden anderer gesorgt, und mit vierzig finden Sie sich plötzlich als Mitglied der „Sandwichgeneration" wieder: Frauen, die sich sowohl um ihre heranwachsenden Kinder als auch um hilfsbedürftige ältere Familienangehörige kümmern.

**Julie** hat selbst keine Kinder, anders als viele ihrer Freunde, die sich ebenfalls ihrer alternden Eltern annehmen. Julie, die sich allein mit der Pflege ihrer Eltern zeitweise überfordert fühlt, fragt sich, wie ihre Freunde mit der Doppelbelastung fertig werden.

Um Ihre Lebensqualität in späteren Jahren zu sichern, müssen Sie sich gezielt bemühen, sich nicht über Gebühr zu belasten, möglichst gesund und aktiv leben.

## Freuen Sie sich auf eine Zukunft in Gesundheit

Hinsichtlich Ihres körperlichen Wohlbefindens ist Ihr Hausarzt der richtige Ansprechpartner, wenn Sie fachkundigen Rat suchen. Vereinbaren Sie einen Routine-Checkup und für die Zukunft regelmäßige Kontrolluntersuchungen. Darüber hinaus sollten Sie mindestens einmal im Jahr einen Besuch beim Gynäkologen einplanen.

Dr. Michael Roizen von der Chicagoer Universität hat einen Ratgeber verfasst, in dem steht, wie sich Ihr Lebensstil auf Ihre Gesundheit auswirkt („Real Age: Werden Sie so jung, wie Sie sein könnten!") Darin schreibt er unter anderem: „Ich bin der Überzeugung, dass der Unterschied zwischen dem kalendarischen und dem empfundenen Alter größtenteils von der individuellen Lebensführung abhängig ist." Unser physiologisches, also „wahres" Alter lässt sich seiner Meinung nach verjüngen, wenn man die folgenden Schritte beachtet:

- Wenn Sie bisher keinerlei Blutgerinnungsprobleme oder sonstige Unverträglichkeiten gegen Aspirin gezeigt haben, sollten Sie einmal täglich 80–325mg Aspirin einnehmen, um Arterienverkalkungen vorzubeugen. Zusätzlich mindert Aspirin das Risiko einiger Arten von Dickdarmtumoren.
- Reinigen Sie Ihre Zähne täglich mit Zahnseide und -bürste. Nach heutigem Erkenntnisstand können Wurzelhauterkrankungen Entzündungen im ganzen Körper, einschließlich der Arterien, hervorrufen.
- Die Vitamine E und C hemmen Arterienverkalkungen. Nehmen Sie daher täglich eine Vitamin-E-Tablette und sorgen Sie dafür, dass Ihre Nahrung ausreichend Vitamin C enthält.
- Regelmäßiger Sex baut Stress ab und fördert die Zufriedenheit der Partner. (Das ist wahrscheinlich einer der Gründe, weshalb glücklich verheiratete Paare nachweislich länger leben und gesünder sind als andere.)

- Lassen Sie Ihr Frühstück nicht ausfallen. Untersuchungen ergaben einen Zusammenhang zwischen Frühstück und Langlebigkeit.
- Schaffen Sie sich einen Hund an. Hundehalter bleiben länger jung, was vermutlich daran liegt, dass sie sich viel im Freien aufhalten.
- Wenn Sie Raucherin sind, sollten Sie jetzt damit aufhören.
- Ernähren Sie sich vielseitig und vitaminreich. Tomatensauce und viel frisches Gemüse beugen Krebs vor.
- Achten Sie auf viel Bewegung. Längere Spaziergänge, Tanzen, Schwimmen oder sonstige Sportarten halten aktiv.
- Pflegen Sie Ihren Freundeskreis. Zahlreiche Studien haben bestätigt, dass Menschen, die gesellschaftlich aktiv sind, gesünder und länger leben.

Erstellen Sie einen Plan, was Sie zukünftig für Ihre Gesundheit tun können, und halten Sie sich an ihn.

## Trainieren Sie Körper und Geist

Heutzutage verstehen die meisten Menschen, dass körperliche Aktivität sowohl das physische Wohlbefinden als auch die geistige Gesundheit steigert. Dabei wird allerdings oft übersehen, dass unser Gehirn ebenfalls regelmäßig trainiert werden sollte. Wenn Ihnen ein langes, gesundes Leben am Herzen liegt, müssen Sie sich körperlich und geistig in Form halten.

Für viele von uns ist es leichter gesagt als getan, die Zeit für ein Fitnesstraining zu erübrigen. Familiäre und berufliche Verpflichtungen bedingen, dass andere Aktivitäten permanent zu kurz kommen. Auf den folgenden Seiten stelle ich Ihnen Wege vor, wie Sie trotzdem regelmäßig etwas für Ihre Gesundheit tun können.

## Sich in Form bringen und in Form bleiben kann Spaß machen

Viele meiner Klientinnen über vierzig fühlen sich durch die Fitnessempfehlungen der Medien eher eingeschüchtert. Sie können sich nicht vorstellen, einem Fitnesscenter beizutreten oder Aerobic-Kurse zu besuchen. Zum Glück gibt es andere Wege, etwas für die Gesundheit zu tun und gleichzeitig Spaß zu haben.

Als **Rose** als Kosmetikerin und Friseurin arbeitete, war sie den ganzen Tag auf den Beinen. Heute, in ihrer Tätigkeit als Beraterin, sitzt sie fast nur. Trotzdem kann sie der Vorstellung eines regelmäßigen Sporttrainings wenig abgewinnen. „Ich verstehe die Leute nicht, die begeistert in die Fitness-Studios rennen", sagt sie offen. „Was mir wirklich gut tut, ist ein gutes Gespräch, das ich mit einem netten Menschen führe. Der Gedanke, etwas für meine körperliche Fitness unternehmen zu müssen, stößt mich eher ab."

Forschungsberichten zufolge sind Gartenarbeit, Tanzen, Spazierengehen, Yoga und andere Formen der Bewegung für die körperliche Fitness nicht minder effektiv als das regelmäßige Training auf Laufband oder Rudergerät. Wenn Ihnen ein ausgedehnter Spaziergang mehr Freude macht, werden Sie umso häufiger spazieren gehen, und das allein ist entscheidend. Vielleicht motiviert Sie auch die Erkenntnis, nunmehr zu den „angehenden älteren Bürgern" zählen. Der Anreiz ist sicher größer, wenn man sich sagt, dass man Initiativen ergreift, um jung, fit und beweglich zu bleiben, statt nur sein Gewicht halten oder ein illusorisches Traumgewicht erreichen zu wollen.

„Als ich abnehmen wollte“, erzählt **Rose**, „verlor ich schlagartig alle Freude am Essen und damit auch an gemeinsamen Essen mit Freunden. Doch sobald ich meine Perspektive korrigiert hatte, mir sagte, dass ich in Zukunft gesünder leben wollte, fing ich an, mich mit Freunden zu gemeinsamen Spaziergängen zu verabreden. Außerdem mache ich einen Tai-Chi-Kurs; dabei geht es mehr um Meditation als um Sport. Und ich habe aufgehört, mir über mein Gewicht Gedanken zu machen. Heute treffe ich beim Essen gesündere Entscheidungen und bleibe aktiv, indem ich mache, was mir Freude bereitet. Ich fühle mich besser und fitter.“

## Trainieren Sie Ihren Kopf

Nach gegenwärtigem Forschungsstand müssen wir unseren Kopf genauso regelmäßig trainieren wie unseren Körper, wenn wir mental auf der Höhe bleiben wollen. Die Universität Chicago unterhält eine Website zum Thema „Echtes Alter“ (RealAge.com), die unter dem Motto steht, „Wer seine geistigen Muskeln häufiger bewegt, lebt länger“. Auf dieser Website ist zu lesen:

> Niederländische Forscher haben herausgefunden, dass Menschen mit gutem Gedächtnis und der Fähigkeit, neuen Problemen offen und lernbegierig zu begegnen, eine höhere Lebenserwartung haben – unabhängig von sonstigen gesundheitlichen Faktoren. Die gute Nachricht ist, dass man sich diese Fähigkeiten jederzeit aneignen kann. Regelmäßiges

mentales Training, einschließlich Lesen, Tätigkeiten mit der nicht-dominanten Hand, Wort- und Gedächtnisspiele sowie die Aneignung neuen Wissens, helfen dem Gehirn, jung zu blciben.

Untersuchungen mehrerer Universitäten haben ergeben, dass es nie zu spät ist, die Leistungsfähigkeit des Gehirns zu verbessern. Selbst wenn Sie Ihr Leben lang eher wenig aktiv waren, profitieren Ihr Kopf und Ihr Körper, wenn Sie jetzt beispielsweise mit langen Spaziergängen beginnen. Bewegung regt den Kreislauf an, was zu einer erhöhten Sauerstoffzufuhr im Gehirn führt und für eine bessere Durchblutung sorgt. Entsprechend verbessert sich Ihre geistige Agilität.

Der Neurobiologe Dr. Lawrence C. Katz empfiehlt in seinem Buch „Neurobics – Fit im Kopf“ noch andere Methoden zur Jungerhaltung des Gehirns. Eine Zusammenfassung:

1. TESTEN SIE IHREN TASTSINN. Füllen Sie ein paar kleine Gegenstände – beispielsweise Heftzwecken, Nägel und Schrauben – in eine Tasse. Mit geschlossenen Augen versuchen Sie nun, die einzelnen Gegenstände allein durch Tasten voneinander zu unterscheiden. Diese Übung animiert das Gehirn zur Ausschöpfung neuer neurologischer Pfade und hält es so auf Zack.
2. ÄNDERN SIE ROUTINEABLÄUFE. Ziehen Sie sich nach dem Frühstück statt vorher an oder essen Sie Ihr Dessert vor dem Hauptgericht. Nach Dr. Katz' Studien werden größere Hirnbereiche angesprochen, wenn wir gewohnte Dinge auf neue Weisen tun.
3. BENUTZEN SIE IHRE NICHT-DOMINANTE HAND. Wenn Sie Rechtshänder sind, putzen Sie Ihre

Zähne zur Abwechslung mal mit links. Wer je einen Gipsarm hatte, weiß, wie viel mentale Anstrengung die Umstellung auf die andere Hand erfordert.

4. SCHNUPPERN SIE VANILLE. Wenn das morgendliche Erwachen für Sie mit dem Geruch frischen Kaffees verbunden ist, sorgen Sie für eine neue Assoziation. Schneiden Sie sich beispielsweise ein Stückchen Schwamm zurecht, das Sie mit einer Duftessenz wie Vanille beträufeln. Riechen Sie daran, wenn Sie morgens aufwachen. Neue Assoziationen haben eine belebende Wirkung.
5. ORDNEN SIE GEGENSTÄNDE IN IHRER UMGEBUNG NEU. Sie können Ihr Gehirn stimulieren, indem Sie so einfache Änderungen vornehmen wie den Papierkorb für ein paar Tage an einer anderen Stelle zu platzieren oder die Gegenstände in Ihrer Schreibtischschublade umzuräumen.

Kreuzworträtsel, Scrabble-Abende mit Freunden oder Neues lernen – all diese Dinge unterstützen die Fitness im Kopf. Lernen Sie eine neue Fremdsprache (oder polieren Sie Ihr Schulfranzösisch auf), treten Sie einem Bridge- oder Schachclub bei, besuchen Sie einen Kurs über Filmgeschichte. Das macht nicht nur Spaß, sondern fördert obendrein Ihre geistige Gesundheit und bringt Sie in Kontakt mit anderen Menschen.

Musik regt ebenfalls das intellektuelle Leistungsvermögen an. „Musizieren spricht sämtliche Ebenen des Gehirns an", sagt Norman Weinberger, Neurowissenschaftler der International Foundation for Music Research. Ein Instrument zu erlernen bedeutet, den Tast-, Seh- und Hörsinn auf neue Weise zu fordern; darüber hinaus sind das Verstehen neuer Symbole, abstraktes Denken sowie Planung und neue motorische Fähigkeiten gefragt – ein ähnlicher Effekt, als würden Sie Ihr Gehirn ins Fitness-Studio schicken.

Als begeisterter Jazzfan besucht **Karen** regelmäßig Konzerte und weiß, dass die meisten Jazzsängerinnen und -sänger ihre Stimme über Jahrzehnte auf hohem Niveau halten. Ella Fitzgerald sang bis kurz vor ihrem Tod, und sie ist nur ein Beispiel von vielen großen Musikern, die bis ins hohe Alter auf der Bühne standen. Karen weiß aus eigener Erfahrung, dass neue Musikstücke zu erlernen und aufzuführen eine Menge Konzentration erfordert.

Musikalisch Interessierten steht ein reichhaltiges Angebot an Kursen (auch für Anfänger) zur Verfügung. Eventuell könnten Sie auch Mitglied in einem Chor werden.

Gesellschaftstänze, Squaredance, Volkstanz, Ballett-, Stepp-, Bauch- oder Jazztanz – Tanzen kombiniert die mentalen Vorteile von Musik mit gesunder Bewegung.

Wer sich geistig und körperlich fit hält, ist besser gegen Depressionen und Burnout-Syndrom gefeit. Neuesten Forschungserkenntnissen zufolge kann sogar die Alzheimer-Krankheit verhindert oder deutlich hinausgezögert werden, wenn man regelmäßig sein Gehirn trainiert. Um ein glückliches, erfülltes Leben jenseits der vierzig sicherzustellen, müssen Sie sich um Ihren Körper und um Ihren Kopf kümmern.

## Stressbewältigung

Stress ist normal und trifft uns alle. Dennoch kann über Jahre währender negativer Stress eine geradezu lähmende Wirkung haben. Ein anstrengender Job, die Verantwortung als allein erziehende Mutter oder für pflegebedürftige Eltern, die Trauer um einen geliebten Menschen – all das sind Situationen, in denen Ihr Stresspegel bedrohliche Höhen erklimmt. Da es keine Möglichkeit gibt, Stress zu vermeiden, müssen wir unbedingt Ventile für einen effektiven Stressabbau finden.

„Lesen und Schreiben bringt man uns im Kindesalter bei, aber wie wir mit Stress zurechtkommen, erklärt uns niemand", schreibt der Psychologe Dr. Robert Epstein in „Psychology Today".

> Praktische Ärzte diagnostizieren bei neunzig Prozent der Patienten, die sich erstmals mit Beschwerden an sie wenden, stressbedingte Krankheitssymptome. Jährlich unternehmen 750.000 Amerikaner einen Suizidversuch, oft weil sie die Belastungen ihres Alltags nicht länger aushalten ... Satte 40 Prozent aller Personalfluktuationen auf dem Arbeitsmarkt sind auf stressbedingte Ursachen zurückführen. Jüngste Studien ergaben, dass Stress unser Immunsystem schwächt, das Herzinfarkt- und Krebsrisiko erhöht, unsere Stimmung und unser Arbeitsverhalten negativ beeinflusst, Schlafstörungen verursacht, sexuelle Probleme hervorruft und Beziehungen zerstört – kurzum: Stress macht uns elend.

## So bauen Sie Stress ab

Es gibt zahlreiche Methoden, wie Sie Stress in den Griff bekommen. Einige der effektivsten zähle ich nun auf:

1. SEIEN SIE NICHT PERFEKT. „Perfektionistische Denkmechanismen erzeugen Dauerstress, der sich für

Körper und Psyche als reinster Amokläufer entpuppt", schreiben die Psychologen J. Clayton Lafferty und Lorriane Coletti-Lafferty in einer Studie. „Perfektionisten zeigen erwiesenermaßen ein um 75 Prozent höheres Risiko, alle erdenklichen Beschwerden zu entwickeln, angefangen bei Kopfschmerzen über Depressionen bis hin zu Herzrhythmusproblemen." Wenn Sie Ihre Maßstäbe auf ein realistisches Maß zurückschrauben, nimmt Ihr Stress automatisch ab.

2. HÖREN SIE MUSIK. „Untersuchungen haben belegt, dass Musik bei stressbedingten Beschwerden therapeutische Wirkung zeigt", heißt es auf der Website von RealAge.com. „In zahlreichen neueren Studien wurde nachgewiesen, dass Musik bei Herz- und Atemwegsinsuffizienzen Linderung verschafft und Depressionen und Ermüdungszustände mindert. Legen Sie sich ein paar entspannende CDs bereit – im Auto, am Arbeitsplatz oder wo immer Sie sich besonders unter Druck fühlen. Man kann nie wissen, wann sich das Bedürfnis nach Harmonie das nächste Mal besonders stark zu Wort meldet."
3. BEWEGEN SIE SICH. Ein Spaziergang im Park oder am Strand, Yoga, Tai-Chi, Tanzen oder irgendeine andere Form von Bewegung, die Ihnen Spaß macht, helfen bei Ihrer Entspannung.
4. GEHEN SIE IN DIE FREIE NATUR. In der Natur verbrachte Zeit wirkt wie ein Jungbrunnen. Planen Sie ein Wochenende auf dem Land oder arbeiten Sie in Ihrem Garten. Selbst die Pflege der Grünpflanzen in Ihrer Etagenwohnung kann entspannen und Ihre Stimmung heben. Die Ruhe und regelmäßigen Abläufe der Natur sind eine Wohltat in der Hektik und dem Lärm des modernen Lebens.

5. VERABREDEN SIE SICH. Genießen Sie Zeit mit Ihren Freunden – eine der angenehmsten Methoden, den Stress einer betriebsamen Woche abzubauen. Rose trifft sich jeden Samstagmorgen mit einer Freundin zu einem ausgedehnten Spaziergang im Wald. Hinterher essen sie gemeinsam in ihrem Lieblingscafé. Auf diese Weise verbinden sie Bewegung mit freundschaftlichem Austausch. Schon ein Telefongespräch baut die Spannungen des Tages ab, umso mehr wenn der Gesprächspartner uns nützliche Tipps geben kann, wie wir mit stressgeladenen Situationen besser umgehen.
6. LACHEN SIE. Treffen Sie sich mit Freunden, die gern lachen. Auch RealAge.com weiß: „Humor entspannt. Deshalb gilt er als eine wertvolle Waffe gegen Stress.“ Und was kann angenehmer sein, als Stress abzubauen, indem man gemeinsam mit Freunden lacht?
7. MEDITIEREN SIE. Wählen Sie unter den zahlreichen Meditationstechniken, die es gibt, jene, die Ihnen am besten gefällt, und erlernen Sie sie. Sie erhalten damit ein wertvolles Mittel, Ihre Gedanken zu beruhigen und innere Ausgeglichenheit zu finden. Es gibt Meditationstechniken, für deren Beherrschung man Jahre braucht; andere wiederum sind überraschend leicht zu erlernen. Dr. Lorin Roche empfiehlt in ihrem Buch „Meditation Made Easy“ folgende Übung für das morgendliche Aufstehen: „Setzen Sie sich auf, schließen Sie die Augen und strecken Sie sich eine Minute lang, wobei Sie tief durchatmen und den Atem vor dem Ausatmen zehn Sekunden lang anhalten sollten. Diese gebräuchliche Yoga-Übung nennt sich „Aufwach-Gähnen“, sie macht wach und bringt Sie in Harmonie mit sich selbst.“
8. KUSCHELN SIE SICH MIT EINEM GUTEN BUCH EIN. Einen Roman oder ein Sachbuch zu lesen, je

nachdem was Sie am besten dem Alltag entführt, wirkt wie ein Blitzurlaub – eine perfekte „kleine Flucht"!

9. VERWÖHNEN SIE SICH. Nehmen Sie sich die Zeit, es sich selbst gut gehen zu lassen. Ein heißes Schaumbad, eine Stunde bei der Kosmetikerin oder eine Massage – gönnen Sie sich Ihr persönliches Antistressmittel. Auch wenn Sie Ihre Lieblings-Bodylotion wahnwitzig teuer finden, ist sie jeden Preis wert, wenn Sie das Gefühl genießen, wie eben diese Bodylotion in Ihre Haut einzieht und ihren betörenden Duft verbreitet. Sie werden sich sogleich um ein Vielfaches besser und entspannter fühlen.
10. TEILEN SIE IHRE ZEIT SELBST EIN. Keine Zeit war schnelllebiger als die heutige. Internet und weltweite Vernetzung machen es möglich, dass wir praktisch rund um die Uhr arbeiten. Die Erwartungen schrauben sich immer höher und irgendwann kommen wir an den Punkt, an dem wir null Zeit haben für das, was wir eigentlich gern machen würden. Wenn Sie näher hinsehen, was Sie wirklich machen, stellen Sie vermutlich fest, dass vieles davon unnötig und überflüssig ist. Nehmen Sie sich vor, ökonomischer mit Ihrer Zeit umzugehen. Schalten Sie den Fernseher nur noch dann ein, wenn Sendungen laufen, die Sie wirklich interessieren. Setzen Sie sich ein Limit für die Zeit, die Sie zu Hause vor dem Computer verbringen und beispielsweise im Internet surfen. Freunde, die Ihnen permanent irgendwelche Witz-Mails schicken, bitten Sie, Sie von der Verteilerliste zu streichen. Löschen Sie ungelesene Mails, wenn Sie im Voraus wissen, dass Sie sie nicht lesen wollen. Und wenn Sie jemand anruft, mit dem Sie im Moment nicht sprechen wollen, beenden Sie das Gespräch höflich, aber be-

stimmt. Auf diese Weise sparen Sie Zeit, die Sie auf eine der Stressabbaumethoden verwenden können.

11. SEHEN SIE DIE POSITIVEN DINGE IN IHREM LEBEN. Der wahrscheinlich einfachste Weg, die eigene Perspektive zu verändern, besteht darin, sich selbst bewusst zu machen, was Sie bereits erreicht haben, wie weit Sie gekommen sind. Was Sie jetzt lernen müssen, ist, Ihre Vorlieben durchzusetzen, Ihre besten Freunde, Ihre engste Familie um sich zu sammeln und mit sich selbst jederzeit im Reinen zu sein.

In **Julies** Gruppe für Leute mit pflegebedürftigen Angehörigen unterstützen sich die Mitglieder gegenseitig. Sie treffen sich regelmäßig zu Kochabenden, die eine schöne Gelegenheit für Gespräche bieten, welche Julie um nichts in der Welt mehr missen möchte.

## Überdenken Sie Ihre Ernährung

Mit dem Älterwerden ändern sich die Bedürfnisse unseres Körpers. In seinem Artikel im Parade-Magazin schrieb Earl Ubell:

> Unser Körper verändert sich mit jeder Dekade unseres Lebens – in den frühen Jahren rasanter und einschneidender, sodass es uns vorkommt, als würden wir „andere Menschen“, in späteren Jahren unauffälliger und in kleinen Schritten, die wir nicht alle einzeln registrieren. Die meisten Menschen nehmen zwischen dem vierzigsten und sechzigsten Lebensjahr an Gewicht zu. Der Stoffwechsel – die Energieverbrennung im Körper – verlangsamt sich,

> und entsprechend weniger Kalorien verbrauchen wir. Das meiste dieses zusätzlichen Gewichts ist Übergewicht – eine Gesundheitsgefährdung und auch darauf zurückzuführen, dass wir uns weniger bewegen und mehr fetthaltige Speisen und Alkohol zu uns nehmen.

**Rose** weiß allzu gut, wie wahr diese Sätze sind. Seit sie sich mehr bewegt, geht es ihr entschieden besser und sie hat mehr Power. Nach einer Ernährungsumstellung achtet sie heute auf eine ausreichende Zufuhr von Ballaststoffen und Kalzium. Sie reduziert Fleisch und fetthaltige Kost auf ein Minimum, isst dafür mehr Vollwertkost, frisches Gemüse und Obst.

Aufgrund körperlicher und hormoneller Umstellungen zwingt uns die Lebensmitte oft zur Aneignung neuer Ernährungs- und Fitnessgewohnheiten. Folgen Sie fachkundigen Empfehlungen, beispielsweise Ratgebern, die erläutern, wie eine abwechslungsreiche und gesunde Ernährung aussehen sollte. Um Fastenkuren, Schlankmacher, Diätdrinks und Ähnliches sollten Sie dagegen einen großen Bogen machen. „Es ist ein Naturgesetz, dass auf jede Hungerkur das große Fressen folgt“, schreibt Geneen Roth in ihrem Bestseller „Gönn dir was Gutes“. „Jede Diät ist ein Zwang, gegen den wir instinktiv rebellieren. Und wenn wir rebellieren, nehmen wir mehr zu, als wir zuvor abgenommen haben.“

Die Ernährungswissenschaftlerin Janis Jibrin bestätigt in ihrem Buch „The Unofficial Guide to Dieting Safely“: „Mein Ziel ist es, Sie davon zu überzeugen, keine Diät zu machen – zumindest keine herkömmliche, extrem kalorienarme Schlankheitskur. Falls es eine Diät gäbe, nach der Sie nachweislich langfristig schlank blieben, wäre ich die Erste, die Sie Ihnen ans Herz legte. Aber es gibt keine.“

„Ganz gleich wie dick Sie sind und wie schlecht Sie sich dabei fühlen“, schreibt Jill Podjasek in „The Ten Habits of Naturally Slim People“, „machen Sie Schluss mit Schlankheitskuren und beginnen Sie damit, sich stärker um Ihre Gesundheit zu kümmern.“ Ein Lebensstil, den Sie auch auf Dauer durchhalten können, mit mehr Bewegung und ausgewogener Ernährung, beschert Ihnen vielleicht keine Modelfigur, aber Sie werden damit glücklicher und gesünder.

Seit ihrem dreißigsten Geburtstag hat **Rose** unzählige Diäten und Schlankheitskuren hinter sich gebracht, die ihr Figurproblem jedes Mal nur verschlimmerten. Als sie sich schließlich entschied, lieber weniger auf ihr Gewicht zu achten und stattdessen mehr dafür zu sorgen, ein gesundes Leben zu führen, wuchs ihre Motivation und es gelang ihr plötzlich, ihr Gewicht unter Kontrolle zu halten.

## Die Wechseljahre

Wenn Sie über vierzig sind, sich häufig niedergeschlagen und erschöpft fühlen, können Ihre Hormone schuld sein. Viele Frauen wissen wenig über die Veränderungen, die unser Körper vor dem Ausbleiben der Menstruation durchmacht. Und das, obwohl sich die ersten Symptome meist Jahre vorher einstellen, beispielsweise unregelmäßige Blutungen, nächtliche Schweißausbrüche, Hitzewallungen, Stimmungsschwankungen und Konzentrationsstörungen. Bei manchen Frauen setzen diese bereits vor dem vierzigsten Lebensjahr ein.

Ihr Arzt kann Ihnen anhand eines Bluttests Auskunft geben, ob die Anzeichen, die Sie wahrnehmen, tatsächlich hormonell bedingt sind. Dieser Test ermittelt die Menge an Follikel stimulierenden Hormonen. Da die Hormonumstellung von Frau zu Frau variiert, sagt der Test leider nichts darüber aus, in welchem Stadium Sie sich befinden oder wie lange es noch dauern wird, bis Ihre Menstruation endgültig ausbleibt.

**Rose** sorgte sich um ihre Gesundheit. Durch ihre Fortbildung und ihren Ganztagsjob stark beansprucht, absolvierte sie an den Wochenenden zusätzliche Kurse, um schnellstmöglich ihre Zulassung als Suchtberaterin zu bekommen. Sie war häufig müde und deprimiert, verstand nicht, was mit ihr los war, denn ihre Ausbildung und ihr Job machten ihr ja enormen Spaß. Als ihre monatlichen Blutungen heftiger wurden, bekam sie es mit der Angst zu tun. „Ich war ungeheuer erleichtert, als mir mein Gynäkologe sagte, der Grund seien meine beginnenden Wechseljahre. Endlich begriff ich, was mit mir geschah, und konnte damit umgehen. Dr. Talbot verschrieb mir ein niedrig dosiertes Hormonpräparat, das meine Blutungen regulierte und die Stimmungsschwankungen behob. Heute fühle ich mich glänzend und energiegeladen wie immer. Durch die Hormontabletten werden meine Wechseljahre verlangsamt und die Begleitsymptome gemildert. Bin ich erleichtert!"

Wenn Sie den Eindruck haben, dramatischer als sonst auf bestimmte Ereignisse zu reagieren oder sich häufig grundlos erschöpft zu fühlen, kann das an Ihrem veränderten Hormonspiegel liegen, den Sie ab vierzig regelmäßig von Ihrem Gynäkologen kontrollieren lassen sollten. Zwar durchleben die meisten Frauen ihre Wechseljahre ohne größere Probleme, trotzdem gibt es einige gesundheitliche Aspekte, über die Sie mit Ihrem Arzt sprechen sollten. Eventuell brauchen Sie auch Hilfe bei unangenehmen Symptomen wie Hitzewallungen, Muskelschmerzen, vaginaler Austrocknung, Libidoverlust oder Stimmungsschwankungen. Und Sie sollten sich unbedingt über die mit der Hormonumstellung verbundenen Gesundheitsrisiken wie Osteoporose, Bluthochdruck oder Herzkrankheiten informieren.

Derzeit streiten die Forscher und Ärzte noch über Sinn und Unsinn von Hormontherapien. Einige plädieren für künstliche Hormone, andere bestenfalls für natürliche Nahrungsergänzungspräparate. Aus den gegenwärtigen Forschungsergebnissen geht nicht eindeutig hervor, inwieweit eine Hormonsupplementierung Herzerkrankungen und Osteoporose tatsächlich vorbeugt. Überlegen Sie gründlich, bevor Sie sich zu einer Hormontherapie entschließen. Und lassen Sie sich während einer solchen Therapie regelmäßig untersuchen.

Wenn Sie jetzt die richtigen Entscheidungen für Ihre Gesundheit treffen, erhöhen Sie damit Ihre Chancen auf ein aktives, gesundes und erfülltes Leben nach vierzig. Vor Ihnen liegen noch viele produktive Jahre – sorgen Sie dafür, dass sie so schön wie möglich werden!

Kapitel VI

# Ein aufgefülltes Bankkonto beruhigt die Nerven: Wie Sie sich finanziell absichern

Geld ist immer noch das beliebteste Mittel, um sich Arbeit zu ersparen.

*Phyllis George*

Sie sind jetzt in einer Phase Ihres Lebens angekommen, in der Sie zu entscheiden haben, wie Sie sich finanzielle Sicherheit für die Zukunft schaffen. Die meisten Frauen freuen sich darauf, schon bald mehr Freizeit und Freiheit zu genießen, um zu reisen oder anderen Interessen nachzugehen. Träumen Sie auch von den Jahren nach dem Berufsleben? Dann bedenken Sie bitte, dass Sie ein entsprechendes Finanzpolster benötigen werden. Falls Sie glauben, es sei ohnehin zu spät, Ihr Gehalt viel zu niedrig oder Ihr Sparbuch nicht der Rede wert, seien Sie beruhigt: Eine Möglichkeit, Ihre finanzielle Perspektive zu verbessern, gibt es immer.

Ein vernünftiger Umgang mit Geld ermöglicht Ihnen nicht nur, Ihre Träume wahrzumachen, sondern wirkt sich darüber hinaus auch positiv auf Ihre Gesundheit aus. Forscher der Universität Ohio haben herausgefunden, dass Menschen, deren Kreditkartenschulden im Verhältnis zu ihrem Einkommen zu hoch sind, weit häufiger stressbedingte Krankheitssymptome aufweisen als solche, die sich nicht über ihre Verhältnisse verschulden. Auch die bereits erwähnte Website RealAge.com warnt: „Je mehr jemand mit seinen Schulden zu kämpfen hat, desto häufiger wird er krank."

Es bekommt also nicht nur Ihrem Bankkonto gut, wenn Sie Ihre finanzielle Lage sichern, sondern auch Ihrem Körper. In diesem Kapitel möchte ich Ihnen einige Tipps geben, wie Sie einfach und wirkungsvoll für Ihre Zukunft vorsorgen können.

## Eigenständig finanzielle Entscheidungen treffen

Sollten Sie bisher daran gewöhnt gewesen sein, dass jemand anders sich um Ihre Finanzen kümmerte, wird es höchste Zeit, dies zu ändern. Niemand – egal wie liebevoll oder wohlmeinend die Person ist – sollte uns unsere finanziellen Entscheidungen abnehmen. Falls Sie fachkundigen Rat benötigen, wenden Sie sich an einen guten Finanzberater. Doch auch hier gilt, dass die letzte Entscheidung bei Ihnen liegt.

„Das eigene Geld selbst zu verwalten ist ein Entscheidungsbereich, den sich Frauen erst in jüngster Zeit ‚erobert' haben", schreibt Dr. Christopher Hayes vom

National Center for Women and Retirement Research in seinem Buch „Money Makeovers". Er erklärt dieses Phänomen folgendermaßen:

> Obwohl Frauen in der Arbeitswelt revolutionäre Fortschritte gemacht haben und heute in sämtlichen Positionen vertreten sind, steht die Kontrolle ihrer finanziellen Situation in den meisten Fällen an allerletzter Stelle. Hier wirken sich kindliche Prägungen aus, die Mädchen implizit vermitteln, dass man von ihnen nicht erwartet, sich mit Geld zu beschäftigen. Infolgedessen sind sie als Erwachsene mit den grundlegendsten Regeln für die Verwaltung von Privatvermögen nicht vertraut …

Vielleicht zählen Sie ebenfalls zu jenen Frauen, denen von Kindesbeinen an beigebracht wurde, Frauen müssten oder sollten sich nicht mit Geld beschäftigen. Dennoch ist die Wahrscheinlichkeit hoch, dass Sie bereits entscheiden, welches Geld wofür ausgegeben wird, indem Sie beispielsweise die Haushaltskasse verwalten, und dieses Geld mit der Zeit immer mehr wird. Zahlreiche Frauen über vierzig erzählten mir, an einem gewissen Punkt ihres Lebens sei „plötzlich alles anders geworden", und dazu gehörte nicht zuletzt die Notwendigkeit, die eigenen Finanzen nun selbst zu regeln. Leider sind die meisten Frauen auf diesem Gebiet ähnlich unerfahren, wie es ihre Mütter waren. Zwar war die Führung der Haushaltskasse in den meisten Familien traditionell Aufgabe der Frau, während erst in jüngster Zeit weiter reichende finanzielle Entscheidungen wie Investitionen nicht mehr primär Männersache sind. Jennifer Parris schreibt in der Zeitschrift „New Woman":

> Neun von zehn Frauen werden irgendwann in ihrem Leben mit der Situation konfrontiert, für Gelddinge allein verantwortlich zu sein. Die wenigsten von ihnen haben gelernt, wie man Geld sinnvoll verwaltet oder Investitionen tätigt. Demzufolge äußern 75 Prozent aller erwachsenen Frauen sich enttäuscht darüber, dass sie niemand über Geldangelegenheiten unterrichtet oder sie ermutigt hat, sich mit Geld zu beschäftigen.

Unabhängig von Alter oder persönlichen Umständen ist es immer ein fataler Fehler, nicht zu wissen, was mit dem eigenen Geld geschieht. Da Anlage- und Investitionsmärkte keinesfalls als transparent zu bezeichnen sind, brauchen Sie eventuell fachlichen Rat. Das darf Sie aber nicht veranlassen, die Verantwortung für Ihr Geld aus der Hand zu geben. Falls Sie gemeinsam mit Ihrem Partner oder einem anderen Familienmitglied Geld angelegt haben, sollten Sie sich genauestens über die Entwicklung Ihrer Anlage informieren.

Auch wenn Sie es bereits gewohnt sind, in Gelddingen allein zu entscheiden, gibt es möglicherweise noch den einen oder anderen Aspekt in puncto finanzielle Zukunftssicherung, den Sie bislang – aus welchen Gründen auch immer – vernachlässigt haben. Prüfen Sie daher Ihre finanzielle Planung für die kommenden Jahre noch einmal gründlich.

Als **Marians** Vater starb, brach das Chaos über sie herein. In seinen Versicherungsunterlagen herrschte ein heilloses Durcheinander, er hatte kein Testament gemacht, und es gab nirgends Hinweise darauf, was mit seinem Vermögen geschehen sollte. Entsprechend war es Marian überlassen, alle Dinge für sich und ihre Mutter zu regeln – ein überflüssiger, schwieriger und teurer Prozess.

Selbstverständlich kann ich in diesem Kapitel keine Finanzpläne oder individuelle Lösungsmöglichkeiten entwerfen. Was ich tun werde, ist Ihnen einen kurzen Überblick über Budgetverwaltung und Investitionsmöglichkeiten zu verschaffen und Schritte aufzuzeigen, wie Sie die Kontrolle über Ihre Finanzen erobern. Mittels der folgenden Richtlinien lernen Sie, selbst einzuschätzen, inwieweit Ihre finanzielle Planung Ihrem Einkommen, Ihren Lebensumständen und Ihren Wünschen entspricht.

## Ohne Haushaltsbudget geht nichts

Wer mein Buch über die zehn klügsten Entscheidungen für die Frau unter vierzig gelesen hat, weiß, für wie wichtig ich die private Budgetverwaltung halte. Auch in diesem Buch möchte ich darauf eingehen, wie diese aussehen sollte.

Jedem von uns graut davor, ein Haushaltsbudget zu führen – keine Frage. Doch die Selbstüberwindung lohnt sich, denn ein übersichtliches und konsequent kontrolliertes Budget entscheidet in vielen Fällen darüber, ob Sie in Zukunft finanziell abgesichert oder verunsichert sein werden. Mit folgenden Schritten können Sie auf einfache Weise eine Einschätzung Ihrer persönlichen Finanzlage vornehmen:

### Prüfen Sie, über welche Mittel Sie verfügen

Finanzielle Sicherheit beginnt damit, dass Sie exakt wissen, wo Sie momentan finanziell stehen. Im Verlaufe meiner bisherigen Berufspraxis haben sich folgende Schritte immer wieder bewährt:

1. WELCHE EINKÜNFTE HABEN SIE? Schreiben Sie auf, wie viel Geld Sie monatlich zur Verfügung haben. Falls Sie (oder Ihr Ehemann und Sie) ein festes Einkommen haben, sind Ihre Einkünfte das, was Ihnen von Ihrem Arbeitgeber monatlich überwiesen wird. Vielleicht verfügen Sie aber auch über verschiedene Einkommensquellen. **Karens** Einkommen beispielsweise setzt sich aus Ihrem Festgehalt als Kassiererin plus Überstundengeldern und ihren Einnahmen aus ihrem Computerunternehmen zusammen. Als Einkünfte sind auch Kindergeld oder Unterhaltszahlungen für Kinder zu werten, Zinseinnahmen aus Geldanlagen, Geldgeschenke oder Boni. Wer wie Karen jeden Monat unterschiedlich hohe Einkünfte hat, sollte über mehrere Monate Buch führen, um einen verlässlichen Mittelwert zu erhalten.
2. WAS GEBEN SIE AUS? Wenn Sie genau wissen wollen, wie viel Geld Sie verbrauchen, müssen Sie Ihre Ausgaben über einen längeren Zeitraum schriftlich festhalten. Notieren Sie die nachfolgenden Ausgabeposten über einige Monate, um einen zuverlässigen Mittelwert errechnen zu können:

- Fixkosten. Hierzu zählen Hypothekenraten oder Mieten, Nebenkosten (zum Beispiel Gas, Strom, Wasser, Müllabfuhr), Raten für das Auto, Steuern, Versicherungen. Kreditabzahlungen gehören ebenfalls in diese Kategorie. Jährlich fällige Beiträge aller Art durch zwölf teilen und ebenfalls auflisten.
- Sonstige Kosten. Dokumentieren Sie alle außerdem anfallenden Kosten und ordnen Sie diese unterschiedlichen Gruppen zu: Kleidung, Lebensmittel, Freizeit, Urlaub und so weiter. Vergessen Sie nicht, Daueraufträge und -überweisungen mit zu berück-

sichtigen. Es geht darum, wirklich all Ihre Ausgaben zu erfassen.

- Nun errechnen Sie Ihr Netto-Einkommen. Ziehen Sie sämtliche Ausgaben von Ihren Einnahmen ab. Wenn am Ende etwas übrig bleibt, ist das gut. Bleibt sogar genügend übrig, um davon ein Sparpolster zu bilden, ist das noch besser! Sind Ihre Ausgaben höher als Ihre Einnahmen, müssen Sie Vorkehrungen treffen, damit Sie keine Schulden ansammeln.

3. ENTWERFEN SIE EINEN REALISTISCHEN HAUSHALTSPLAN. Sehen Sie sich die Liste Ihrer Fixkosten genauer an. Diese Kosten werden sich kaum kurzfristig ändern lassen, weshalb Sie sicherstellen müssen, dass Ihre Einkünfte diese Ausgaben decken. Wenn das nicht geht, müssen Sie Ihre Ausgaben reduzieren. Ziehen Sie in eine günstigere Wohnung, tauschen Sie Ihren teuren Wagen gegen ein Sparmodell ein, schulden Sie Ihre Hypotheken um, damit Ihre Zinsbelastung abnimmt. Alternativ können Sie versuchen, Ihre Einnahmen zu verbessern: Sprechen Sie mit Ihrem Arbeitgeber über eine Gehaltserhöhung, besorgen Sie sich einen Nebenjob oder sonstige zusätzliche Einnahmequellen. Falls Ihre Einkünfte die Fixkosten zwar decken, aber nicht ausreichen, um Ihre Gesamtausgaben zu bestreiten, müssen Sie in anderen Bereichen Kürzungen vornehmen. Vielleicht fällt Ihnen ja der eine oder andere Posten auf, der überflüssig und verzichtbar ist.

Ordnen Sie Ihre Ausgaben nach Wichtigkeit, wobei Notwendiges wie Essen und Kleidung an erster Stelle steht. Dann sehen Sie sich an, welche Ausgaben Sie reduzieren können. Setzen Sie sich ein Limit, wie viel Sie wofür ausgeben können – vor allem bei allen Dingen, die in die Kategorie „Luxus“ fallen. Welche Dinge das sind, entscheiden Sie selbst. Ihr Ziel sollte es sein, so viel Überschuss wie möglich zu erzeugen. Das Geld, das Sie am Ende übrig haben, können Sie ansparen und sinnvoll investieren oder für Reisen und andere Extras nutzen.

## Bringen Sie Ihren Geldbeutel in Form

Eine vernünftige Einnahmen-Ausgaben-Kontrolle ist für Ihre finanzielle Gesundheit ebenso wichtig wie eine gesunde Ernährung und Bewegung für Ihre körperliche Gesundheit. Ihr Haushaltsbudget muss realistisch, das heißt Ihren Lebensumständen (und Ihrer Persönlichkeit) angepasst sein, wenn es funktionieren soll. Sobald sich Ihre finanzielle Situation ändert, stimmen Sie Ihr Budget auf die neuen Gegebenheiten ab. Je näher das Ende Ihrer Berufstätigkeit rückt, umso wichtiger ist es, Ihre Ruhestandspläne in Ihre Kalkulation einzubeziehen. Wie es Ihnen später einmal finanziell gehen wird, hängt davon ab, wie gut es Ihnen heute gelingt, Ihre Finanzen in Form zu bringen.

Um als allein erziehende Mutter mit einem Kassiererinnengehalt über die Runden zu kommen, musste **Karen** mit ihrem Geld und ihrer Zeit vernünftig haushalten. Das gelang ihr, weil sie konsequent den Überblick über ihre Mittel behielt. Heute geht es ihr finanziell deutlich besser, aber sie führt weiter genau Buch über ihre Einnahmen und Ausgaben. Sie wirtschaftet umsichtig genug, um für sich und ihre Kinder etwas anzusparen.

Falls Sie an mehr Informationen zum Thema „Geld“ interessiert sind, gibt es einige sehr hilfreiche Ratgeber.

Außerdem können Sie das Internet nutzen, um sich in Finanzfragen weiterzubilden. Darüber hinaus bieten viele Volkshochschulen entsprechende Kurse an.

## Holen Sie sich die Hilfe, die Sie brauchen

Wie ich bereits erwähnte, ist es nicht unbedingt einfach, sein Geld vernünftig zu verwalten. Glücklicherweise gibt es zahlreiche Hilfsangebote, was allerdings voraussetzt, dass man seine Bedürfnisse und Wünsche genau kennt. Im Nachfolgenden finden Sie einige Informationen, anhand derer Sie für sich ermitteln können, welche Art von Hilfe Sie brauchen und wo Sie sie finden.

### Bankangestellte

Ich habe von vielen Menschen gehört, dass sie zu den Angestellten ihrer Hausbank eigentlich keinen Kontakt, sondern vielmehr den Eindruck haben, die Bank wäre ausschließlich an ihren betuchteren Kunden interessiert. Meine Erfahrungen sind da ganz anders. An meinem Wohnort gibt es mehrere kleinere Bankinstitute von untadeligem Ruf, deren Anspruch es ist, ihren Kunden einen exzellenten Service zu bieten. Obwohl Online-Banking immer einfacher wird und zugegebenermaßen sehr bequem ist, sollten Sie sich einen kompetenten Ansprechpartner in Ihrer Hausbank suchen, mit dem Sie über Ihre finanzielle Zukunft sprechen können. Ein guter Banker kann Ihnen hilfreiche Informationen und Tipps geben, die Sie keinen Cent kosten. In meinem Buch über die wichtigsten Entscheidungen für die Frau unter vierzig habe ich dieses Thema ebenfalls angesprochen:

> Sie haben die richtige Bank gewählt, wenn der Geschäftsführer sich Zeit für ein Gespräch mit Ihnen nimmt; die Zinsraten der Norm entsprechen; der Service stimmt und Ihre Filiale gut zu erreichen ist. Darüber hinaus wird Ihnen ein guter Bankberater gern Auskünfte geben, wenn Sie Fragen zu Firmen und Betrieben in Ihrer Nähe haben.

Auch Mitarbeiter von Kreditgenossenschaften sind meist offen für Ihre Fragen. Falls Sie erwägen, über Ihren Arbeitgeber oder einen Berufsverband einer Kreditgenossenschaft beizutreten, nutzen Sie die Informationen, die man Ihnen dort geben kann. Solche Genossenschaften sind traditionell mitgliederorientiert und bieten meist sogar Kurse über Investitionsmöglichkeiten und andere Finanzfragen an. Außerdem erhalten Sie hier alle gängigen Bankleistungen wie Kontoführung, Darlehen und Angebote für verschiedene Sparverträge. Manche Kreditgenossenschaften bieten zudem günstige Autofinanzierungen und Kleinkredite sowie hauseigene Kreditkarten.

## Steuerberater

Eine gute Steuerberatung bringt im Regelfall eine größere Steuerersparnis, als Sie an Honorar für die Steuererklärung zahlen müssen. Und es ist hilfreich, einen Steuerberater zur Hand zu haben, sollte tatsächlich einmal eine Steuerprüfung ins Haus stehen. Vereinbaren Sie von vornherein ein Festhonorar, das alle üblichen Leistungen enthält. Falls Sie auch Ihre Geldanlagen verwalten lassen möchten, suchen Sie sich einen Steuerberater oder eine Steuerberaterin, die keine prozentuale Beteiligung an

Ihren Zinseinkünften, Aktienverkäufen oder sonstigen Anlagegewinnen verlangen. Nur so können Sie sicher sein, dass wirklich Ihre Interessen vertreten werden. Bitten Sie Freunde, Verwandte und Bekannte um Empfehlungen und überprüfen Sie die Referenzen der in Frage kommenden Kandidaten. Ihr idealer Steuerberater sollte Sie über günstige Anlagemöglichkeiten auf dem Laufenden halten und sich für Ihre finanzielle Zukunft interessieren.

## Planen Sie eine glückliche zweite Lebenshälfte

Die finanziellen Lebensumstände variieren auch bei Frauen über vierzig von Fall zu Fall. Einige Frauen haben bereits in ihre Zukunft investiert, etwa in einen privaten Rentenfonds einbezahlt oder über ihren Arbeitgeber eine Zusatzrente abgeschlossen. Andere besitzen vielleicht eine Immobilie. Aber es gibt auch genügend Frauen, die, beispielsweise nach einer Scheidung oder einem unvorhersehbaren Geldverlust, ganz von vorn anfangen müssen. Allein erziehende Mütter haben meist nichts ansparen können, weil ihre spärlichen Einkünfte restlos aufgefressen wurden. Sie können erst mit ihrer Finanzplanung beginnen, wenn ihre Kinder auf eigenen Füßen stehen. Bis dahin kann es noch ein weiter Weg sein, da auf unverheiratete Elternteile wie auch auf verheiratete Eltern zunächst die Ausbildungskosten für die Kinder zurollen.

Falls Sie sich also bislang noch nicht mit dem Thema Finanzen beschäftigt haben, wird es allerhöchste Zeit, sich alles Wissenswerte anzueignen und an sämtlichen Vermögensentscheidungen gleichberechtigt beteiligt zu sein.

Bevor ich Paar- und Familientherapeutin wurde, habe ich einige Jahre als Steuerberaterin gearbeitet. Ganz gleich ob Sie sich finanziell abgesichert fühlen oder aus dem Nichts neu anfangen – solide Grundkenntnisse über Einkommensmanagement können nur von Vorteil für Sie sein. Um Ihnen eine ungefähre Vorstellungen der zahllosen Möglichkeiten zu vermitteln, die sich Ihnen bieten, nenne ich Ihnen eine kleine Auswahl.

Doch zunächst ein Wort zur Warnung: Lassen Sie sich nicht von dem Medienrummel um Optionsscheine, Neuemissionen oder kurzfristige Anlagen aufs Glatteis führen. Es klingt zwar verlockend, wenn uns jemand verspricht, wir könnten praktisch über Nacht reich werden, doch die Erfolgsquote gleicht der beim Lottospiel. Auf eigene Faust Aktien zu kaufen und zu verkaufen ist riskant und erfordert eine Menge Marktkenntnisse, die man nicht im Vorbeigehen erwirbt. An der Börse verliert man sehr viel leichter Geld, als dass man welches verdient. Es gibt andere, sicherere Wege, Geld gewinnbringend anzulegen. Ihr Steuerberater, Banker oder andere Berater sagen Ihnen, welche Investitionsform für Ihre Situation und Ihre Interessen am besten geeignet ist.

## Sparen – Sparen – Sparen

Je mehr Geld Sie sparen, umso mehr können Sie investieren. Finanzielle Sicherheit fängt damit an, dass Sie sich einen Notgroschen für unvorhersehbare oder größere Ausgaben (ein neues Dach für das eigene Haus, ein Luxusurlaub, die Ausbildung oder die Hochzeit Ihres

Kindes) und für Ihren Ruhestand beiseite legen. Wie hoch auch immer Ihre Einkünfte sind, machen Sie einen Plan, wie viel Sie sparen können, um Ihre finanziellen, beruflichen und sonstigen Ziele zu erreichen. Ich möchte Ihnen im Folgenden einige Richtlinien an die Hand geben, mit deren Hilfe Sie Ihren individuellen Sparplan entwickeln oder verbessern können.

1. BEZAHLEN SIE SICH SELBST ALS ERSTE. Eine sehr alte, aber nach wie vor effiziente Methode, Geld zu sparen. Legen Sie den Betrag, den Sie sparen wollen, sofort beiseite – so fällt es Ihnen leichter, sich auf die Mittel zu beschränken, die Ihnen zur Verfügung stehen. „Sparen Sie anfangs zehn Prozent Ihres Einkommens", schlägt Henry S. Brock in seinem Buch „Your Complete Guide to Money Happiness vor". „Zahlen Sie in den Pensionsfonds Ihres Arbeitgebers ein (falls Sie es nicht sowieso schon tun) oder richten Sie einen Dauerauftrag ein, mit dem Sie monatlich einen festen Betrag auf ein Sparkonto überweisen. Je nach Zinsen können Sie Ihr Geld binnen weniger Jahre tüchtig vermehren."
2. HALTEN SIE IHRE AUSGABEN SCHLANK. Jedes Mal, wenn Sie eine Gehaltserhöhung bekommen, bislang aber mit Ihrem Gehalt gut ausgekommen sind, überweisen Sie das zusätzliche Geld direkt auf Ihr Sparkonto. Auf diese Weise können Sie Ihre Ersparnisse kontinuierlich steigern.
3. ENTWICKELN SIE DIE RICHTIGE EINSTELLUNG ZUM SPAREN. Betrachten Sie das Geld, das Sie beiseite legen wollen, wie eine zu zahlende Rechnung. Prüfen Sie zunächst anhand Ihres Budgets, wie viel Geld Sie monatlich erübrigen können, und versuchen Sie, diesen Betrag als offenen Rechnungsbetrag anzu-

sehen. Auch hier gilt, dass ein noch so geringer Betrag sich mit der Zeit zu einer beachtlichen Summe addiert.

4. SPAREN SIE, BEVOR SIE ETWAS ANSCHAFFEN. Träumen Sie von einer größeren Anschaffung, zum Beispiel einem neuen Computer? Überschlagen Sie die Kosten, teilen Sie sie durch sechs und legen Sie diesen Betrag ein halbes Jahr lang monatlich zur Seite. Ehe Sie sich versehen, haben Sie genügend Geld, um Ihr Wunschobjekt anzuschaffen, ohne Ihre Kreditkarte zu strapazieren.
5. BLEIBEN SIE BEI DEN AUSGABEN, DIE SIE SICH BISHER LEISTEN KONNTEN. Nachdem die Raten für Ihr Auto oder einen Kleinkredit abbezahlt sind, sollten Sie diesen Betrag weiterhin zahlen – nur dass Sie jetzt die Zahlungsempfängerin sind. Sie werden das Geld nicht vermissen, weil Sie vorher auch ohne es ausgekommen sind, und Ihre Ersparnisse wachsen rapide an.

Wichtig ist, zu sparen, bevor Sie anfangen, Geld auszugeben. Auf diese Weise machen Sie Ihren Sparvorsatz garantiert wahr, und jeder Cent auf dem Sparbuch zahlt sich für Ihre Zukunft aus.

## Gehen Sie klug mit Ihrer Kreditkarte um

Kreditkarten werden heutzutage immer häufiger als Zahlungsmittel verwendet. Wir benutzen sie, um ein Auto zu mieten, Sachen aus Katalogen oder dem Internet zu bestellen und für Notfälle. Aber gerade weil sie in der Handhabung so einfach und scheinbar unkompliziert sind, bergen sie die Gefahr, dass wir uns hoffnungslos überschulden. Größere Anschaffungen sollten Sie deshalb lieber über Ihre Hausbank oder eine Kreditgenossenschaft finanzieren und die monatlich fälligen Beträge in Ihrem Budget berücksichtigen.

Wenn Sie Ihre Kreditkartenabrechnungen zuverlässig bezahlen können, fallen keine überhöhten Zinsen an. Sehen Sie sich genau an, was Sie mit der Karte gekauft haben. Kreditkarten haben auch Vorteile. In der Abrechnung ist exakt aufgelistet, was wann wofür gezahlt wurde. Wenn Sie die Ausgaben für Ihren Wagen von der Steuer absetzen, weil Sie ihn beruflich nutzen, können Sie die Kreditkartenabrechnungen mit der Einkommensteuererklärung einreichen. **Karen** hat sich eine zusätzliche Kreditkarte zugelegt, über die sie ausschließlich die Dinge bezahlt, die sie für ihre kleine Computerfirma einkauft. Die Abrechnungen benutzt sie als Steuerbelege.

## Achten sie auf ihre Bonität

Wahrscheinlich genießen Sie bereits eine gute Bonität, die Sie sich über die Jahre erarbeitet haben. Doch im Falle von Scheidung, Tod des Partners oder anderweitig verursachten Geldproblemen, kann Ihre Bonität nachhaltig erschüttert werden, sodass Sie noch einmal von vorn beginnen müssen.

Bemühen Sie sich, so viele Rechnungen wie möglich pünktlich zu begleichen (sofern Sie geschieden sind, sollten Sie die Zahlungsempfänger informieren, dass Sie offene Posten begleichen und nicht Ihr Exmann). Falls Sie bei Ihrer Bank oder Ihrer Kreditgenossenschaft eine Kreditkarte beantragen, bringen Sie Ihre Ersparnisse als Sicherheit ein. Wenn Sie und Ihr Mann so genannte Partnerkarten unterhalten, lassen Sie eine gesonderte Abrechnung auf Ihren Namen ausstellen.

**Sally** heiratete gleich nach dem Collegeabschluss. Gemeinsam mit ihrem Mann kaufte sie ein Haus und legte Geld an. Als die beiden sich zehn Jahre später scheiden ließen, waren die Prozesskosten so hoch, dass sie das Haus verkaufen mussten, um diese zu begleichen. Sally galt schlagartig als nicht mehr „kreditwürdig". Sie beantragte eine Kreditkarte ihrer Genossenschaftsbank, bei der sie über ihren Arbeitgeber bereits Kundin war, und zahlte die Abrechnungen pünktlich jeden Monat, um ihren Ruf wiederherzustellen. Es dauerte eine Weile, aber letztlich konnte sie beweisen, dass sie durchaus noch kreditwürdig war.

## Sinnvolle Investitionen

Es gibt unzählige Arten, sein Geld anzulegen, und täglich kommen neue hinzu. Wenn Sie sich nicht zufällig mit der einen oder anderen Anlagemöglichkeit besonders gut auskennen, sollten Sie sich fachlichen Rat holen, bevor Sie Ihr Geld fest anlegen. Ich möchte Ihnen die gängigsten Investitionsmöglichkeiten vorstellen, damit Sie sich ein Bild machen können, welche Auswahl Sie haben. Sofern Sie nicht vorhaben, sich zukünftig intensiv mit dem Aktienmarkt zu beschäftigen, ist es empfehlenswert, sich auf „bodenständigere" Anlagen wie Immobilien, Obligationen und Investmentfonds, Renten- und Lebensversicherungen oder private Rentenfonds zu konzentrieren.

**Ruth** und ihr Mann haben ein beachtliches Vermögen angehäuft, das größtenteils im Pensionsfonds der Firma ihres Mannes angelegt ist. Für seinen Ruhestand ist also bestens vorgesorgt. Für sich selbst hat Ruth immer ein wenig von dem Gehalt ihrer Teilzeitstelle gespart. Einen Teil dieser Ersparnisse hat sie auf Anraten eines Onkels, der Finanzfachmann ist, angelegt. Das verbleibende Geld möchte sie zum Aufbau ihres eigenen Unternehmens verwenden.

In jüngster Zeit hat **Sally** hauptsächlich in ihre eigene Beratungsfirma investiert. Da sie während ihrer Zeit als leitende Angestellte sehr gut verdiente, konnte sie ein solides Finanzpolster ansparen, welches ihr nun die nötige Sicherheit gibt, ihr eigenes Beratungsunternehmen zu gründen.

KAUFEN SIE EINE IMMOBILIE. Überlegen Sie, ob Sie in eine Immobilie investieren möchten, falls Sie nicht schon eine besitzen. Möglicherweise können Sie das Haus oder die Wohnung, in der Sie derzeit zur Miete wohnen, erwerben, wozu Ihnen manche Finanzberater raten würden. Viele staatliche Förderprogramme erleichtern Erstkäufern den Kauf einer Eigenheimimmobilie. Erkundigen Sie sich, welche Steuerersparnisse Sie erwarten und wie Sie Ihre Zinsbelastung reduzieren können. Wenn Sie ein Haus auf dem freien Markt suchen, sollten Sie sich in den Randgemeinden umsehen, wo die Grundstückspreise bei steigendem Immobilienwert häufig günstiger sind. Ihr Traumhaus können Sie immer noch kaufen, wenn Sie Ihr erstes Haus abbezahlt oder mit Gewinn verkauft haben.

Es gibt zahlreiche Informationen zum Thema Immobilienkauf, die Sie unmöglich alle studieren können. Deshalb sollten Sie einen Makler wählen, den Ihnen Freunde, Bekannte, Ihr Steuer- oder Ihr Bankberater empfohlen haben. Ein guter Makler kann Sie umfassend über folgende Punkte aufklären: Vorteile und Risiken des Eigenheimkaufs, seriöse Finanzierungsalternativen, günstige Bürgschaften, regionale Bauauflagen, zu erwartende Wertsteigerung der Immobilie in der fraglichen Region sowie spezielle Neubauförderungen.

Erkundigen Sie sich beim zuständigen Maklerverband, ob Ihr Makler registriert ist und welchen Ruf er hat, falls Sie niemanden kennen, der bereits mit ihm zu tun hatte. Dort gibt man Ihnen möglicherweise auch Namen und Telefonnummern anderer Klienten, die von ihm betreut wurden und die Sie nach ihrer Zufriedenheit befragen können. Außerdem sollten Sie zahlreiche verschiedene Angebote einholen, um sicherzugehen, dass Ihre Immobilie nicht überteuert ist. Wenn Sie Ihr Haus günstig kaufen und planen, längere Zeit darin zu wohnen, ist es sehr wahrscheinlich, dass es mit den Jahren im Wert steigt.

Natürlich müssen Sie sich sicher sein, dass Sie sich die Raten auch längerfristig leisten können. Erkundigen Sie sich im Vorfeld über die Hypothekenraten und erwerben Sie nur dann eine Immobilie, wenn Sie sich diese wirklich leisten können. Nur so werden Sie in der Lage sein, Ihr Eigenheim langfristig zu halten und zu genießen.

Zusätzlich zum Kaufpreis müssen Sie auch die Kosten – und die Zeit! – berücksichtigen, die der Unterhalt einer Immobilie mit sich bringt. Sind Sie erfahren in Gartenarbeit und finden Vergnügen an ihr, spricht nichts gegen ein Haus mit Garten. Bevor Sie ein altes Haus kaufen, sollten Sie sich darüber im Klaren sein, dass Elektro- und Wasserleitungen sowie Dach vermutlich in absehbarer Zeit erneuert sowie sonstige Renovierungsarbeiten durchgeführt werden müssen. Bei Eigentumswohnungen oder Reihenhäusern werden die Verwaltungs- und Instandhaltungsarbeiten meist von einem durch die Eigentümergemeinschaft ernannten Verwalter übernommen. Sie sollten Ihr Stimmrecht in der Eigentümergemeinschaft wahrnehmen und regelmäßig zu den Versammlungen erscheinen.

Da sich Hypothekenzahlungen steuerlich geltend machen lassen und man zudem mit einem Gewinn rechnen kann, wenn man die Immobilie irgendwann verkauft, rechnet sich ein Wohnungs- oder Hauskauf praktisch für jeden.

EINKÜNFTE AUS IMMOBILIENBESITZ. Viele ältere Frauen und Ehepaare schwören auf den Besitz von Mietwohnungen als zusätzliche Einnahmequelle. Sobald die Hypothek abbezahlt ist, wandert ein beträchtlicher Teil der Miete in den eigenen Geldbeutel. Doch vergessen Sie nicht, dass der Besitz von Mietwohnungen mit Verantwortung verbunden ist. Sie müssen die Mieten eintreiben, Nebenkostenabrechnungen erstellen, sich eventuell mit unangenehmen Mietern herumschlagen, sich um anfallende Reparaturen kümmern und Ihre Immobilie instand halten. Falls Ihre Mieteinnahmen es erlauben, können Sie eine Hausverwaltung mit diesen Aufgaben betrauen, was sich besonders dann empfiehlt, wenn Sie selbst nicht in der Nähe wohnen. Wollen Sie Ihre Mietwohnung selbst betreuen, sollten Sie mit dem ansässigen Wohnungseigentümerverband Kontakt aufnehmen. Solche Verbände sind als Forum gedacht, wo Eigentümer sich untereinander austauschen, über neueste Gesetzesregelungen informieren und im Bedarfsfall fachkundigen Rat einholen können.

AKTIEN – DIE RISKANTERE INVESTITIONSFORM. Bei der Medienaufmerksamkeit, die die internationalen Aktienmärkte genießen, möchte man fast zu dem Schluss kommen, die Börse sei der einzig wahre Anlageplatz. Falls Sie bereit sind, viel Zeit und Mühe zu investieren, um diesen schwankungsintensiven und komplizierten Markt genau kennen zu lernen, können Sie tatsächlich eine Menge Geld mit klugen Aktienkäufen und -verkäufen verdienen – doch seien Sie sich des Risikos bewusst.

Besuchen Sie Kurse oder lesen Sie Bücher, die Sie über das Pro und Kontra von Börsenspekulationen aufklären.

Alternativ dazu können Sie sich auch einem Investmentclub anschließen. Das sind Privatinvestoren, die sich regelmäßig treffen, um die aktuelle Marktsituation zu besprechen, einzelne Aktien zu prüfen und ihr Geld in einem Pool zusammenzufassen, aus dem Investitionen finanziert werden. Informieren Sie sich im Vorfeld, welche Investmentclubs für Sie interessant wären. Auch hier gilt, dass Sie am besten in einem Club aufgehoben sind, der Ihnen aus glaubwürdiger Quelle empfohlen wurde. Die von der National Association of Investors Corporation genannten Grundprinzipien sind eine sinnvolle Orientierung: Investieren Sie einen monatlichen festen Betrag, unabhängig von der Marktlage; reinvestieren Sie Dividenden und Kapitalgewinne; kaufen Sie Wachstumsaktien; stellen Sie Ihr Portfolio aus verschiedenen Aktien zusammen. Haben Sie weder Zeit noch Lust, sich mit dem Aktienmarkt vertraut zu machen, sollten Sie sich einen Profi suchen, der Ihr Portfolio für Sie verwaltet.

INVESTMENTFONDS. Investmentfonds eignen sich für weniger risikofreudige Anleger – zum Beispiel auch für Leute, die keine Zeit oder Muße haben, sich mit den Entwicklungen auf dem Aktienmarkt zu beschäftigen. Ihr Vorteil besteht in erster Linie darin, dass sie bunt gemischt sind, was sonst nur in einem großen Portfolio machbar ist. Somit bieten sie einen guten Einstieg in den Wertpapiermarkt, und das bei verhältnismäßig geringem Risiko und Aufwand.

Woran erkennen Sie einen guten Fonds? Auch hier gilt: Machen Sie sich schlau, und hören Sie auf die Empfehlungen Ihres Steuer- oder Anlageberaters.

OBLIGATIONEN UND RENTENFONDS. Rentenfonds sind als zusätzliche Sicherung Ihres Ruhestands gedacht. Sie zahlen heute einen monatlichen oder vierteljährlichen Festbetrag und bekommen später eine garantierte Festrente. Die Generation unserer Eltern hat auf diese Anlageform geschworen, heute scheint sie nicht mehr ganz so populär. Das liegt vor allem an den im Vergleich zu anderen Anlagemöglichkeiten eher niedrigen Zinsgewinnen. Meist werden diese Rentenfonds von Versicherungsmaklern angeboten, die aus Eigeninteresse keine rein objektive Einschätzung „ihres" Rentenfonds geben, weshalb Sie auch hier besser mit Ihrem Steuerberater Rücksprache halten sollten.

Obligationen sind staatliche Schuldverschreibungen (das heißt, Sie leihen dem Staat Geld). Viele Regierungen geben derartige Schuldverschreibungen heraus, die zumeist steuerfrei sind. Der Zinsgewinn richtet sich jeweils danach, wie zuverlässig eine Regierung ihre Schulden zurückzahlt, ist aber insgesamt nicht sonderlich hoch. Geeignet ist diese Anlageform für alle, die eine langfristige, sichere Anlage suchen, beispielsweise weil sie für ihre Kinder oder Enkelkinder etwas auf die hohe Kante legen möchten. Falls Sie sich für Obligationen interessieren, sollten Sie Ihren Finanzberater auch nach unter Umständen attraktiveren ausländischen Angeboten fragen.

AKTIENOPTIONEN UND BETRIEBSEIGENE PENSIONSFONDS. Wenn das Unternehmen, in dem Sie angestellt sind, einen eigenen Pensionsfonds unterhält, wird das angesammelte Kapital in diesem Fonds vermutlich in Aktien investiert. Die meisten Pensionsfonds genießen einen exzellenten Ruf, weil die Unternehmen die Arbeitnehmerbeiträge zusammen mit dem eigenen Kapital anlegen. Dadurch vergrößern sich Investitionsspielraum und Zinsgewinne. Nichtsdestotrotz sollten Sie sich genau erkundigen, wie die Investitionspläne Ihres Arbeitgebers aussehen, ehe Sie sich verpflichten, über mehrere Jahre in einen Fonds einzuzahlen. Ihr Arbeitgeber ist gesetzlich verpflichtet, Sie zu informieren – durch Informationsabende oder schriftliche Materialien. Darüber hinaus sollte in der Personalabteilung jemand sitzen, der Ihre Fragen beantworten kann.

Bedenken Sie, dass Sie bei einem Jobwechsel mit Einbußen rechnen müssen. Falls Sie heute schon davon ausgehen, über kurz oder lang das Unternehmen zu wechseln, kommt für Sie eine private Rentenversicherung eher in Frage. (Näheres dazu auf der nächsten Seite.)

Viele große Unternehmen bieten ihren Angestellten Aktienoptionen an. Die Mitarbeiter dürfen eine bestimmte Summe in Unternehmensaktien investieren – meist in Verbindung mit einem Pensionsfonds. In manchen Fällen behält sich das Unternehmen vor, weitere Mittel aus dem Pensionsfonds zur Stützung des eigenen Aktienkapitals zu nutzen. Sollte sich Ihnen eine solche Anlagemöglichkeit bieten, besprechen Sie die Vor- und Nachteile mit Ihrem Berater.

**Karen** musste in ihrem Job als Kassiererin jahrelang mit einem niedrigen Verdienst klarkommen, zahlte aber trotzdem jeden Monat in den Pensionsfonds ihrer Gewerkschaft ein. Nach jeder Gehaltserhöhung investierte sie den Nettomehrbetrag in ihre Altersvorsorge. „Ich wollte meine Kinder und mich selbst nicht zu knapp halten, nur um sparen zu können“, erklärt sie. „Zum Leben hatten wir das, was ich nach Hause brachte, und wenn etwas übrig blieb, haben wir uns irgendein Extra gegönnt. Und meine Zukunft war gesichert.“

PRIVATE RENTENVERSICHERUNGEN. Beiträge, die Sie in eine private Rentenversicherung einzahlen, brauchen Sie erst dann zu versteuern, wenn die Versicherung zur Auszahlung fällig wird (zu diesem Zeitpunkt werden Sie voraussichtlich in einer niedrigeren Steuerklasse sein). Es gibt viele unterschiedliche private Rentenversicherungen, sowohl für Angestellte als auch für Selbstständige und Freiberufler. Die gesetzlichen Vorschriften für diese Rentenversicherungen ändern sich von Zeit zu Zeit, weshalb Sie unbedingt fachkundigen Rat einholen sollten, bevor Sie sich für eine bestimmte Versicherung entscheiden.

**Sally** hatte eine betriebliche Altersvorsorge, die sie in eine private Rentenversicherung umwandelte, als sie sich selbstständig machte. Ihre monatlichen Einzahlungen variiert sie je nach Einkommen. In manchen Monaten zahlt sie sogar mehr ein, als sie steuerlich absetzen kann. „Ich weiß, dass ich später nur das haben werde, was ich mir heute an Rücklagen schaffe“, sagt sie. „Deshalb muss ich heute an meine Zukunft denken.“

Sehen Sie sich genau an, welche Möglichkeiten sich Ihnen bieten, und machen Sie einen Plan, wie Sie Ihren Ruhestand finanziell sichern wollen.

## Vermögensplanung

Wenn Sie Ihr Einkommen sinnvoll investiert, Immobilien erworben oder eine Lebensversicherung angespart haben, ist eine sorgfältige Vermögensplanung wichtig. Wollen Sie den Wert Ihres Vermögens erhalten und Ihren Erben unnötige Schwierigkeiten und hohe Steuern ersparen, müssen Sie rechtzeitig entsprechende Vorkehrungen treffen. Es ist nicht damit getan, ein Testament zu verfassen, in dem Sie aufführen, wer was bekommt. Sie sollten auch Schenkungen zu Lebzeiten oder eine Verteilung Ihres Vermögens auf unterschiedliche Rentenversicherungen erwägen, um die Erbschaftssteuerbelastung so gering wie möglich zu halten. Außerdem ist es empfehlenswert, über ein Patiententestament oder eine Generalvollmacht für eine nahe stehende Person nachzudenken.

Ein guter Anwalt oder Vermögensberater sagt Ihnen, welche Dinge Sie schon jetzt schriftlich regeln sollten und fasst Ihre Wünsche in eine rechtskräftige Form.

Als **Marians** Vater starb, ohne ein Testament gemacht zu haben, geriet ihre Mutter in arge Bedrängnis. Zwar verstand Marian, dass ihr Vater die Beschäftigung mit dem eigenen Tod scheute und auch keinen Anwalt dafür bezahlen wollte, ein rechtsgültiges Testament aufzusetzen; trotzdem war ihr die Erfahrung eine Lehre, es selbst anders zu machen. Ihre Mutter und sie haben sich gegenseitig „Patientenvollmachten" ausgestellt, die dem jeweils anderen sämtliche Entscheidungen überlassen, wenn es um wichtige medizinische Eingriffe geht. Außerdem haben sie mit notarieller Hilfe für das Vermögen ihrer Mutter eine Generalvollmacht für Marian ausgestellt, und ihre Mutter hat ein Testament gemacht.

## Testament

Als Familientherapeutin erlebe ich immer wieder mal Fälle, die zeigen, wie wichtig klare Verfügungen für den Familienfrieden sind. Wir sind es unseren Nachkommen schuldig, ihnen genau zu sagen, was nach unserem Tod mit unserer Hinterlassenschaft geschehen soll. Natürlich ist das Thema nicht erfreulich, aber wenn wir es meiden, riskieren wir, dass die Menschen, die wir lieben, verletzt oder verwirrt sind und sich schlimmstenfalls sogar fürchterlich überwerfen. Falls Sie dieses Szenario verhindern wollen, sollten Sie vorsorgen und Ihre Familie in Ihre Pläne einweihen. Damit Ihr letzter Wille unanfechtbar wird, muss er notariell beglaubigt sein, zumindest handschriftlich verfasst sein.

## Entscheidungsvollmacht im Krankheitsfall (Patiententestament)

Ein Patiententestament ist eine Verfügung, in der Sie einer Person Ihrer Wahl die Autorität für medizinisch relevante Entscheidungen überschreiben, sollten Sie selbst nicht in der Lage sein, diese Entscheidungen zu treffen. In dieser Verfügung sollte klar aufgeführt sein, welche Behandlungen Sie wünschen und welche nicht, ob lebenserhaltende Maßnahmen durchgeführt werden sollen, ob Sie Ihre Organe spenden möchten und was nach Ihrem Tod mit Ihrem Körper geschehen soll. Ersparen Sie es Ihrer Familie, bei diesen Entscheidungen im Dunkeln zu tappen.

Natürlich müssen Sie sich zuvor erkundigen, inwiefern Ihre Wünsche den gesetzlichen Vorgaben entsprechen. Schon deshalb macht es Sinn, ein Patiententestament vor einem Notar zu verfassen. Vielfach bittet man Sie auch im Krankenhaus um ein Patiententestament, wenn Ihnen ein größerer Eingriff bevorsteht oder Sie eine tödliche Krankheit haben. Wenn Sie ein Patiententestament besitzen, sagen Sie Ihrer Familie, wo es ist, und nehmen Sie es mit, wenn Sie sich zur Behandlung in ein Krankenhaus begeben.

## Vermögensüberschreibungen

Wenn Sie über ein großes Vermögen verfügen und die Erbschaftsfrage mit Schwierigkeiten behaftet ist (etwa weil Sie Kinder aus verschiedenen Ehen haben), kommt für Sie die Überschreibung von Teilen Ihres Vermögens zu Lebzeiten in Betracht. Steuerlich ist diese Regelung günstig, da sowohl Testaments- als auch Erbschaftssteuern auf ein Minimum reduziert werden. Außerdem sind die Bestimmungen flexibel, sodass Sie detailliert festlegen können, was mit Ihrem Vermögen geschieht. Beispielsweise können Sie verfügen, dass Ihren Kindern das Vermögen erst dann zugänglich gemacht wird, wenn sie ein bestimmtes Alter erreicht haben.

**Ruths** älteste Tochter hat Probleme in ihrer Ehe. Nun ist sie schwanger. Um ihr erstes Enkelkind finanziell abzusichern, haben Ruth und Paul Teile Ihres Vermögens treuhänderisch angelegt und das Enkelkind als Nutznießer eingesetzt. Auf diese Weise ist für das Kind gesorgt, unabhängig davon, was seine Eltern tun.

Machen Sie Ihre Vermögensplanung zu einem Teil Ihrer Altersvorsorge, um sicher zu sein, dass nicht nur für Ihre Zukunft, sondern auch für die Familie gesorgt ist.

# Gesellschaftsverträge und schriftliche Schuldversprechen

Falls Sie mit jemand anderem als Ihrem Ehepartner ein Unternehmen gründen, Grundbesitz erwerben oder gemeinsame Investitionen tätigen wollen, empfiehlt sich ein Gesellschaftsvertrag. Solche schriftlichen Vereinbarungen eignen sich auch dann, wenn Sie vor der Ehe

Grundbesitz erworben haben, der nicht oder nicht ganz in die Zugewinngemeinschaft eingebracht werden soll.

In einem Gesellschaftsvertrag sind sämtliche Rechte und Pflichten der Partner in Bezug auf Geld, Besitz oder künftigen Zugewinn festgelegt. Desweiteren enthält er alle Bestimmungen darüber, was im Falle des Todes eines der Partner oder der Auflösung der Partnerschaft mit dem gemeinsamen Vermögen geschehen soll. Manchmal werden in Gesellschaftsverträgen auch Klauseln integriert, die die steuerlichen Pflichten von einem Partner auf den anderen übertragen. Egal, welche Vereinbarungen Sie treffen – ohne Gesellschaftsvertrag sollten Sie sich niemals auf finanzielle Gemeinschaftsprojekte mit jemandem einlassen, auch wenn die betreffende Person Ihnen im Moment noch so nahe steht. Sie müssen wissen, dass im Falle des Todes Ihres Partners oder Ihrer Partnerin dessen Testamentsvollstrecker Zugriff auf Ihr Vermögen hat.

Ich selbst habe bei der Arbeit an dem Vorgänger zu diesem Buch gelernt, wie wichtig Gesellschaftsverträge sein können. Als meine Freundin und Kollegin Elizabeth Friar Williams, die seinerzeit einen ersten Entwurf des Buches vorgelegt hatte, schwer erkrankte, kontaktierte mich unsere gemeinsame Agentin, Laurie Harper, und fragte mich, ob ich den Entwurf weiter ausfeilen und das Buch als Ko-Autorin fertig stellen wollte. Als ich zustimmte, verfasste Laurie einen Gesellschaftsvertrag, der das Buchprojekt zum Inhalt hatte. Dann verstarb Betsy unerwartet. Dank des Vertrages konnte das Buch trotzdem verkauft und Betsys Anteile ihren Erben gutgeschrieben werden. Da das Copyright laut Vertrag nach Betsys Tod mir zufiel, konnte ich auf Basis des ersten Buches dieses zweite Werk schreiben. Heute ist es mir eine Ehre, Betsys Andenken weiterzuführen, und ich bin dankbar, dass es Gesetze gibt, die bei klaren vertraglichen Absprachen beiden Partnern Sicherheit bieten.

## Knapp bei Kasse? Seien Sie kreativ!

Wenn Sie sich vor dem Ruhestand fürchten, weil Sie glauben, zu spät mit der Altersplanung und -vorsorge begonnen zu haben, ist es an der Zeit, dass Sie sich etwas einfallen lassen. Vielleicht gründen Sie Ihr eigenes kleines Unternehmen, das Sie neben Ihrem festen Job betreiben, oder Sie wollen endlich lernen, mehr aus Ihrem Geld zu machen. Möglicherweise ist jetzt auch der richtige Zeitpunkt gekommen, künstlerische Talente (Schreiben, Musizieren, Malen) oder berufliche Tätigkeiten (Kinderbetreuung, Beratung, Unterrichten) zu nutzen. Suchen Sie nach Wegen, Ihr Einkommen zu erhöhen und zugleich Spaß zu haben. Viele Menschen schaffen sich ihre eigenen „Minijobs", um ihre Finanzen aufzubessern.

**Karen** fing schon während ihres Computerkurses an, ihr geringes Einkommen mit Zusatzjobs aufzubessern. Zunächst half sie anderen Kursteilnehmern bei ihren Projekten; dann begann sie, zu Hause Websites zu entwerfen oder Freunde bei Softwareproblemen zu unterstützen. Sehr guten Freunden bot sie diese Dienstleistungen im Austausch gegen Kinderbetreuung, Kochen oder handwerkliche Hilfe an, ansonsten verlangte sie ein Entgelt, das sich mit der Zeit zu einer hübschen Gehaltsaufbesserung addierte.

Unabhängig von Ihrem Einkommen und Ihrer finanziellen Situation gilt: Wenn Sie fortan konsequent haushalten, planen, sparen und investieren, können Sie sich die finanzielle Zukunft sichern, die Sie sich wünschen. Halten Sie sich an das Motto „Je früher, desto besser“ oder eben auch „Es ist nie zu spät“.

Kapitel VII

# Es ist nie zu spät: Wie Sie zu der Person werden, die Sie schon immer hätten sein können

Während andere darüber nachdenken, ob unsere Welt in einem Knall oder einem Wimmern untergehen wird, ist mir eigentlich nur daran gelegen, dass meine Welt nicht in einem einzigen Jammer endet.

*Barbara Gordon*

Um die Lebensmitte herum richten wir den Blick auf die tieferen Zusammenhänge unseres Lebens – auf unsere Träume und Ziele, auf unsere Gefühle und unsere spirituelle Entwicklung. Lebenssinn und innere Zufriedenheit werden allmählich wichtiger als Verpflichtungen und Erfolge. Wir werden reifer und uns der Möglichkeit bewusst, das Leben leben zu können, das wir immer schon leben wollten, wobei wir uns auf die Erfahrungen stützen, die wir bislang gesammelt haben. Kam Ihnen Ihr

Leben bisher so vor, als kreiste es ausschließlich um andere? Da war Ihr Job, der Anforderungen an Sie stellte, Ihre Familie, deren Bedürfnisse Sie befriedigen, Ihr Haushalt, um den Sie sich kümmern mussten. Das hört jetzt nicht alles auf, aber Sie haben erstmals die Chance, sich stärker auf Ihre Wünsche und Bedürfnisse zu besinnen, Ihre eigenen Träume wahr zu machen. Bei meiner Tätigkeit als Therapeutin treffe ich immer wieder Frauen, denen es bei der Erfüllung all ihrer Pflichten trotzdem gut geht, weil sie sich obendrein um ihre eigenen Bedürfnisse kümmern. Nehmen Sie sich ein Beispiel an diesen Frauen: Leben Sie Ihr Leben in vollen Zügen! Denken Sie darüber nach, was Sie für sich wollen.

## Erwachsensein

Erwachsen zu sein bedeutet, uns selbst sehr gut kennen gelernt zu haben. Wir wissen, wie wir Erfolg, Arbeit, finanzielle Entscheidungen, Familie, Freunde und Beziehungen zu anderen Menschen angehen. Und wie steht es mit der Beziehung zu uns selbst? Haben wir auf sie jemals auch nur annähernd so viel Nachdenken und Zeit verschwendet wie auf andere Beziehungen? Wenn Sie Ihre Träume in die Wirklichkeit umsetzen wollen, müssen Sie zunächst nach innen blicken und herausfinden, was Sie glücklich macht. „In Wirklichkeit ist es so, dass die Qualität unseres Lebens letztlich losgelöst davon ist, was andere von uns denken oder was wir besitzen", schreibt Mihaly Csikczentmihaly in seinem Buch „Die außergewöhnliche Erfahrung im Alltag". „Vielmehr hängt sie von unserem eigenen Empfinden und Erleben ab. Deshalb können wir unsere Lebensqualität nur beeinflussen, indem wir die Qualität unserer Erfahrungen beeinflussen."

Im vierten Kapitel haben Sie herausgefunden, was Freundschaft für Sie bedeutet – sowohl die Freundschaft zu anderen als auch zu sich selbst. Wie weit ist Ihr freundschaftliches Verhältnis zu sich seither gediehen? In diesem Kapitel nutzen Sie Freundschaft mit sich selbst als Basis für die Veränderungen, die Sie in Ihrem Leben erstreben. Die folgende Übung bietet Ihnen die Chance, sich selbst neu zu „erfinden", um in Zukunft all das sein und tun zu können, wovon Sie immer geträumt haben.

Die folgenden Ansätze helfen Ihnen, Ihre Beziehung zu sich selbst zu stärken und Ihre bisherigen Erfahrungen besser zu nutzen.

1. FRAGEN SIE SICH NACH IHRER MEINUNG. Beginnen Sie damit, sich mindestens fünfmal täglich zu fragen: „Was denke ich? Bin ich zufrieden? Sehe ich einen Sinn in dem, was ich tue? Stimme ich den anderen zu oder nicht? Was täte ich, wenn mir keine Grenzen gesetzt wären?" Indem Sie sich angewöhnen, diese Fragen wieder und wieder zu stellen, lernen Sie, Ihre eigene Meinung zum Maßstab Ihrer Sichtweise der Dinge und Geschehnisse um Sie herum zu erheben.
2. HÖREN SIE SICH ZU. Achten Sie Ihre Meinung ebenso wie die eines guten Freundes. Reflektieren Sie sie, wägen Sie ab, und scheuen Sie sich nicht vor dem Disput mit sich selbst. Lassen Sie Ihre Ansichten Einfluss nehmen auf Ihr Denken und Handeln. Falls Sie beispielsweise finden, Ihre Arbeit würde Sie nicht zufriedenstellen, dann lassen Sie dieses Gefühl zu. Über kurz oder lang wird daraus ein Bedürfnis nach Veränderung wachsen, woraus wiederum neue und aufregende Ideen resultieren. Sie müssen diese Ideen

nicht sofort in die Tat umsetzen. Lassen Sie ihnen Zeit zu reifen. Je bewusster Sie sich Ihrer Ansichten werden, umso stärker wird deren Einfluss auf Ihr Handeln und Verhalten.

3. VERBRINGEN SIE ZEIT MIT SICH. Verbringen Sie Zeit mit sich allein, in der Sie bewusst in sich hineinhören und herausfinden, was Sie an Ihrem Leben beibehalten und was Sie verändern möchten. Zur Not genügen hierfür die Minuten, die Sie unter der Dusche oder im Auto auf der Fahrt zur Arbeit verbringen. Schlagen Sie in Ihrem Tagebuch nach, welche Rollen Sie sich für Ihr neues Ich ausgesucht hatten, und prüfen Sie, wie diese in das Leben passen, das Sie gern führen würden. Erforschen Sie Ihre Träume und Fantasien. Gibt es darunter welche, die Sie schon jetzt wahr machen können?

Als berufstätige Mutter hat **Marian** nur wenig Zeit für sich, und selbst in diese knappe Zeit drängten sich immer wieder andere Dinge. Deshalb nahm sie sich vor, die Fahrten zur Arbeit und zurück zu nutzen, um über sich und ihre Zukunft nachzudenken. Sie besorgte sich ein kleines Diktiergerät, auf das sie alle Einfälle und Ideen sprach, die ihr wichtig waren. Während der Autofahrten schaltete sie das Radio und ihr Handy aus, um ungestört zu sein.

Falls Sie es für egoistisch halten, sich Zeit für sich selbst zu nehmen, liegen Sie falsch. Denn erst, wenn Sie eine funktionierende Beziehung zu sich selbst haben, sind Sie in der Lage, auch funktionierende Beziehungen mit anderen Menschen einzugehen. Was Sie momentan vielleicht noch als egoistisch beurteilen, kommt letztlich sowohl Ihnen als auch den Menschen zugute, die Sie lieben.

# Entdecken Sie Ihre Träume

In meiner Praxis hängen zahlreiche Illustrationen der Künstlerin Jodie Bergsma. Bilder von Elfen, Feen, Tieren und Kindern – sie anzusehen ist wie in einem Märchenbuch zu blättern. Eine der Bildunterschriften lautet: „Es ist nie zu spät, der Mensch zu sein, der man hätte sein können." Tagtäglich erkennen Therapiepatienten überall auf der Welt die Wahrheit, die in diesen Worten liegt. Sie beginnen, in ihr Inneres zu blicken, alte und neue Träume aufzuspüren. Und sie erkennen, dass einige dieser Träume Wirklichkeit werden können.

Lassen auch Sie Ihre Träume und Ihr Streben nach mehr Glück und Zufriedenheit zu! Wir sollten unsere kurze Verweildauer auf diesem Planeten nutzen, um etwas Einzigartiges, etwas Besonderes zu schaffen, das uns glücklich macht. Halten Sie es mit dem bekannten Philosophieprofessor Dr. Joseph Campbell, der uns in seinem Buch „The Power of Myth" rät, „unserem Bild vom Paradies zuzustreben". Er war überzeugt davon, dass Menschen, die sich von ihren Träumen leiten lassen, diese Welt mit ihrer Wahrheit und ihrer Kraft verschönern.

Die Autorin und Forscherin Marsha Sinetar spricht in diesem Zusammenhang von einer „logischen Abfolge", der Entwicklung hin zu einem „lebenswerteren Leben". In ihrem Buch „Elegant Choices, Healing Choices" nennt sie Stationen auf dem Weg zum wahren Ich.

- Wir entscheiden uns, eine neue Richtung einzuschlagen, obwohl es uns ängstigt, vertraute Pfade zu verlassen.

- Anstatt die Dinge zu meiden, die uns Angst machen, richten wir unser Denken und Handeln zielstrebig dahin aus, zu sein, wie wir wirklich sein wollen.
- Infolgedessen steigt unsere Akzeptanz des „gelebten Ich“, ... das wir im nächsten Schritt den anderen präsentieren, das heißt in unsere „Welt“ einführen.
- Schließlich erreichen wir den Punkt, an dem unsere Entscheidungen diesem bewusst gewählten Ich entspringen, anstatt ihm aufgezwungen zu werden... Wir werden zuversichtlich und mutig, und wir lieben und akzeptieren, was wir sind. Und das ist die Grundvoraussetzung dafür, andere lieben und akzeptieren zu können.
- Nun erkennen wir, dass unsere negativen Gefühle hilfreiche Indikatoren sein können, die uns wie ein Spiegel vorhalten, was wir ändern müssen – und können.

Menschen, die ihre Träume ernst nehmen, fühlen sich im Einklang mit sich selbst und sehen einen Sinn in ihrem Leben. Und sie sind begeisterungsfähig. In ihrem Buch „Ordinary People as Monks and Mystics“ schreibt M. Sinetar: „Je mehr wir unser Leben auf unsere inneren Bedürfnisse abstimmen, umso bewusster und selbstbewusster werden wir.“

Ob Sie immer schon die Welt retten oder einfach hin und wieder einen Spaziergang im Grünen machen wollten: Jetzt ist der richtige Zeitpunkt, damit zu beginnen. In der Mitte des Lebens erkennen wir, dass wir nicht alle Zeit der Welt haben. Also sollten wir das an Zeit nutzen, was uns bleibt. Jetzt verfügen wir über die nötige Kraft, die Erfahrung, den Enthusiasmus und die Vitalität, um etwas für uns zu bewegen. Vielleicht träumen Sie davon, einfacher zu leben oder politisch aktiv zu werden. Egal, wie komplex oder simpel Ihre Träume sein mögen, lassen Sie sie zu. Dann finden Sie auch die Stärke, sie wahr zu machen.

## Wer sind Sie wirklich?

Vielleicht erinnern Sie sich an diesen Satz aus dem Religionsunterricht: „Was ich bin, ist ein Geschenk Gottes; was ich werde, ist mein Geschenk an ihn.“ Betrachten Sie sich selbst als Geschenk. Dank Ihrer Lebenserfahrung gleichen Sie einer Schatzkiste voller Talente und Fertigkeiten. Was Sie mitbringen, reicht allemal, um Ihre Träume und die Veränderungen zu realisieren, die Sie sich in Ihrem Leben wünschen. Sie müssen nur lernen, sich als den Menschen zu akzeptieren, der Sie sind. Und das erreichen Sie, indem Sie das Beste aus sich machen, Ihre Eigenschaften und Talente fördern, um etwas zu leisten, worauf Sie stolz sein können.

Vielleicht dachten Sie bisher, Sie wären zu ruhig oder zu geschwätzig, zu aggressiv oder zu passiv. Doch was, wenn „zu ruhig“ bedeutet, dass Sie eine gute Zuhörerin sind, oder „geschwätzig“ heißt, Sie sind eine exzellente Rednerin? Was Ihnen „aggressiv“ vorkommt, könnte ebenso gut als Führungsqualität oder Dynamik gedeutet werden; „zu passiv“ weist Sie als wertvolle Stütze für andere aus. Stellen Sie sich Ihre Persönlichkeitsmerkmale als die verschiedenen Farben auf einer Palette vor. Für jede der Farben findet sich die richtige Verwendung. Aber woher wissen Sie, welche Farben sich auf Ihrer ganz persönlichen Palette befinden?

Es gibt zahlreiche Techniken, wie wir die Facetten unserer Persönlichkeit ergründen können, einschließlich

Hypnose, Tagebuchführen und verschiedene Formen des Selbstgesprächs. Sie alle sind legitim. Am einfachsten ist es allerdings, Sie arbeiten mit einem Spiegel. Ihr Spiegelbild hilft Ihnen, sich selbst zu erkennen und zu lernen, wie Sie Ihre Persönlichkeitsmerkmale nutzen, um Ihren Erfolg und Ihr Glück zu maximieren. In ihrem Buch „You Can Heal Your Life" schreibt Louise Hay: „Mit einem Spiegel zu arbeiten kann ausgesprochen wirkungsvoll sein. Sich selbst in die Augen zu sehen und sich dabei zu erzählen, was man positiv an der eigenen Person findet, ist meines Erachtens der kürzeste Weg zum Ziel."

„Wenn ich die Freundschaft zu mir selbst aufrechterhalten möchte, muss ich mir täglich die Zeit nehmen, mich mit mir auseinander zu setzen", schreibt Carol Putnam in ihrem Artikel „My Selves in the Mirror" (erschienen in „In Context"). „Ich beobachte mich auf diese Weise selbst und steuere meine geistige, körperliche und emotionale Entwicklung ... Vor dem Spiegel entdeckte ich all die Aspekte meines Selbst neu, die ich lange zuvor aus den Augen verloren hatte."

Ergänzend zu der vorangegangenen Übung sollten Sie bei Ihren Selbstgesprächen vor dem Spiegel folgende Schritte befolgen:

### Selbstgespräche vor dem Spiegel

1. SPRECHEN SIE ZU EINEM SPIEGEL. Reservieren Sie Zeit für sich allein und sehen Sie in einen kleinen Spiegel. Begrüßen Sie sich wie eine Freundin. Lassen Sie sich viel Zeit.
2. SEIEN SIE IHRE ENGSTE VERTRAUTE. Sprechen Sie mit sich über Ihre Gefühle, Ihre Hoffnungen und Ihre Träume. Sagen Sie sich mindestens drei Dinge, die Sie an sich mögen, und welche Talente Sie auszeich-

nen. Beobachten Sie, wie Sie auf Ihre Selbstkomplimente reagieren. Vermutlich stellen Sie nach einigen Minuten fest, dass Sie unterschiedliche Standpunkte vortragen – Pro und Kontra. Möglicherweise scheinen Ihre Träume und Ihre Wünsche einander zu widersprechen oder Sie tun Ihre Hoffnungen als übertrieben ab.

**Julie** wurde erst vor dem Spiegel richtig klar, in welchem Konflikt sie sich befand, als ihre Eltern pflegebedürftig wurden. Ein Teil von ihr wollte einfach weit weglaufen, während bei dem anderen die Sorge um das Wohl ihrer Eltern überwog.

Je vertrauter Sie mit dieser Form des Dialogs werden, umso leichter fällt es Ihnen, Probleme oder Aufgaben, die auf Sie zukommen, mit sich selbst zu diskutieren. Indem Sie alle widersprüchlichen Aspekte ansprechen, lernen Sie, Ihre Unsicherheit oder innere Zerrissenheit zu überwinden.

Für **Julie** war es hilfreich, ihre beiden inneren Stimmen „ihre Geschichte erzählen zu lassen". Damit wurde ihr nicht nur klarer, was genau auf sie zukam, sondern auch, welche Entscheidung für sie und ihre Eltern am besten war.

3. STREBEN SIE EINE LÖSUNG AN. Betrachten Sie alle gegensätzlichen Aspekte und fassen Sie sie zu einem Standpunkt zusammen. Mit jeder „internen Argumentation" und jedem neuen Zwiespalt sammeln Sie Erfahrungen, aus denen Sie hilfreiche Methoden ableiten können, wie Sie die richtigen Lösungen für sich finden.

Die einzelnen Schritte werden von Mal zu Mal einfacher, und Sie lernen, Ihre Denk- und Sichtweise zu akzeptieren, weil Sie verstehen, was in Ihnen vorgeht, und besser damit umgehen können. Sie wissen, wie Sie Ihre internen Konflikte am besten austragen, erlangen schneller Klarheit und treffen Ihre Entscheidungen mit mehr Überzeugung.

Das Selbstgespräch vor dem Spiegel können Sie sowohl dazu nutzen, sich über Ihre Wünsche und Träume klar zu werden, als auch für die Klärung Ihrer Probleme. Rekapitulieren Sie täglich, wie weit Sie mit den Veränderungen gekommen sind, die Sie in Ihrem Leben machen wollen.

1. NEHMEN SIE SICH ZEIT. Am Ende eines jeden Tages sollten Sie eine Ruhephase einplanen, in der Sie Ihren Tag überdenken und den Dialog mit sich pflegen. Das kann unter der Dusche, im Bett, auf dem Sofa oder während eines Spazierganges sein, beim Joggen oder bei einer Yoga-Übung. Bei großer Zeitnot reicht auch schon die Fahrt nach Hause oder die Zeit, die Sie an einer Supermarktkasse anstehen. Oder Sie ziehen sich abends ein paar Minuten zurück, wenn Ihre Familie vor dem Fernseher sitzt.
2. WIE WAR IHR TAG? Lassen Sie die wichtigsten Ereignisse Ihres Tages Revue passieren – in umgekehrter Reihenfolge.
3. BEURTEILEN UND LOBEN SIE SICH. Denken Sie darüber nach, was Sie getan und entschieden haben. Loben Sie sich für alles, was Sie gut gemacht haben.
4. SPIELEN SIE „FEHLERHAFTE“ SZENEN NOCH EINMAL DURCH. Falls Ihr Tag Dinge beinhaltete, die Ihnen missfielen, oder Sie glauben, falsche Entscheidungen getroffen zu haben, spielen Sie die betreffenden

Szenen in Gedanken einfach noch einmal durch. Stellen Sie sich vor, Sie würden ein Video ansehen, an dem Sie nach Belieben herumschneiden können. Verändern Sie Ihre Reaktionen und Ihr Verhalten so lange, bis es Ihnen gefällt. Dasselbe gilt für Unterhaltungen. Sie dürfen Ihre Antworten so oft „zurückspulen und überspielen“ wie Sie wollen – bis Sie mit dem Ergebnis zufrieden sind. Diese Übung macht Sie sicherer, wenn Sie in Zukunft spontan Ihre Möglichkeiten erwägen und Ihre Reaktionen entsprechend abstimmen müssen. Je häufiger Sie sie durchexerzieren, umso verlässlicher werden Sie schon bald Ihre Entscheidungen treffen.

**Marian** hatte seit längerem kein Bewerbungsgespräch mehr geführt, als sie sich entschloss, sich um eine Vollzeitstelle in einer Kanzlei zu bewerben. Während ihrer ersten zwei Interviews trat sie entsprechend unsicher und nervös auf. Als sie wieder zu Hause war, spielte sie diese in Gedanken immer wieder durch. Sie probierte neue Antworten auf die Fragen aus, die ihr gestellt wurden, bis sie sich besser damit fühlte. Auf diese Weise bekam sie mehr Übung und war in späteren Vorstellungsgesprächen weniger nervös, besser vorbereitet und aufmerksamer.

5. SICHERN SIE SICH ALLE NÖTIGEN INFORMATIONEN. Wenn Sie feststellen, dass Sie, um die richtigen Entscheidungen treffen zu können, bessere Informationen oder Kenntnisse benötigen, besorgen Sie sich diese! Machen Sie sich einen Merkzettel: „Ich muss mir dieses Buch aus der Bibliothek besorgen.“ Oder: „Wie soll ich damit umgehen, dass Harry mir dauernd Schuldgefühle einjagt? Sue um Rat fragen.“

Sorgen Sie dafür, dass Sie über alles verfügen, was Sie brauchen, um sich stark und kompetent zu fühlen.

6. UND IHRE UMGEBUNG? Sehen Sie genau hin, wie andere auf Sie reagieren. Welche Menschen sind Ihnen freundlich gesinnt und unterstützen Sie? Intensivieren Sie den Kontakt zu diesen Leuten. Zeigen Sie ihnen, wie sehr Sie sie schätzen. Und sprechen Sie jene an, von denen Sie Ihrer Meinung nach zu wenig Beachtung empfangen oder falsch behandelt werden. Sagen Sie ihnen explizit, wie Sie behandelt werden möchten. Solche Gespräche sollten Sie in Gedanken mehrmals proben, bis Sie sich sicher fühlen.
7. REKAPITULIEREN SIE IHREN TAG UND DANKEN SIE SICH. Nachdem Sie die bedeutenden Ereignisse Ihres Tages noch einmal durchgespielt haben, loben Sie sich für das, was Sie richtig gemacht haben, und beenden Sie Ihre Sitzung. Erfahrungsgemäß werden diese Rekapitulationen binnen dreier Wochen zum festen Bestandteil Ihres Tagesablaufs und können – bei Bedarf in verkürzter Form – jederzeit und überall durchgeführt werden. Mit dieser einfachen, aber sehr wirkungsvollen Methode können Sie die Fortschritte überprüfen, die Sie bei der Verwirklichung Ihres Traumes machen. Und vergessen Sie nicht, Ihre Beobachtungen in Ihrem Tagebuch zu protokollieren.

## Seien Sie motiviert

Ich habe bereits erwähnt, dass Veränderungen ein hartes Stück Arbeit verlangen. Selbst wenn Sie sich selbst gut kennen und genau wissen, was Sie wollen, fehlt es Ihnen möglicherweise an der nötigen Motivation. Wie schaffen Sie es, den Elan aufzubringen, den Sie brauchen?

Vielleicht haben Sie sich in jüngeren Jahren mit negativer Motivation bei der Stange gehalten, indem Sie sich selbst drohten („Wenn ich das nicht schaffe, werde ich gefeuert"), sich harsch zurechtwiesen („Du faule Nuss, steh endlich auf") oder Angst einjagten („Wenn ich nicht hart arbeite, mag mich keiner"). Vielleicht beziehen Sie Ihre Motivation – wie viele Frauen – daraus, Dinge für andere zu tun. Nun sind Sie allerdings an einem Punkt angekommen, an dem andere Sie nicht mehr so sehr brauchen wie zuvor. Und wahrscheinlich stellen Sie fest, dass negative Motivation nicht sonderlich weit trägt, sondern langfristig zu Burnout-Syndrom und emotioneller Leere bis hin zu Depressionen führt.

Sollte es Ihnen schwierig erscheinen, die Begeisterung für Ihre Ziele über einen längeren Zeitraum konstant hoch zu halten, müssen Sie Ihre Sichtweise ändern.

## Lob und Motivation

Seit Jahren lehre ich meine Klienten eine einfache Gleichung, mit deren Hilfe sie sich selbst motivieren können:

Lob + Anerkennung = Motivation

Sie selbst sind für Ihr Leben verantwortlich, also entscheiden auch Sie darüber, wie Sie sich behandeln. Wollen Sie motiviert bleiben, sollten Sie freundlich und verständnisvoll mit sich umgehen; seien Sie großzügig mit Ihrem Lob und sensibel in Ihrer Kritik. Sie können sich die Kraft geben, Ihre Ziele zu verfolgen, und Sie werden stolz sein auf das, was Sie erreichen, und sich daran freuen können. Alles, was Sie brauchen, sind die zwei Motivatoren Lob und Anerkennung. Die meisten wissen, wie man anderen seine Wertschätzung vermittelt. Geht es darum, uns selbst zu loben, werden wir verlegen und fühlen uns unbehaglich.

Von klein auf haben wir gelernt, dass es sich nicht gehört, die eigenen Qualitäten und Verdienste zu betonen. Es ist ein unsinniger Widerspruch, dass Motivation einerseits als positive Eigenschaft gilt und die Wertschätzung der eigenen Person als notwendige und wünschenswerte Grundlage hierfür andererseits mit Vorurteilen belastet ist. Diesen Widerspruch heben Sie auf, indem Sie lernen, wie Sie zu einer (nicht übertrieben) positiven Wahrnehmung Ihrer selbst gelangen.

## Wie Sie sich durch Lob motivieren

Um sich für die Realisierung Ihrer Träume zu motivieren, sollten Sie die folgenden Methoden testen:

1. MACHEN SIE SICH EIN BILD VON IHREM TRAUM. Machen Sie eine Collage aus Zeitungsausschnitten oder malen Sie ein Bild, wie Ihr Traum aussehen soll. In die Mitte Ihres Bildes kleben Sie ein Foto von sich, um sich von Anfang an als Teil Ihres erfüllten Traumes zu sehen.
2. SCHREIBEN SIE ALLE VORTEILE AUF, DIE IHR TRAUM IHNEN BRINGEN WIRD. Wenn Sie die Frau sein werden, die Sie immer sein wollten – ganz gleich ob Sie dafür Großes oder Kleines verändern müssen –, welche Vorteile bringt Ihnen das?
3. WELCHE MENSCHEN UND WELCHE ERFAHRUNGEN WIRD IHR TRAUM IN IHR LEBEN

BRINGEN? Malen Sie sich all die neuen Erlebnisse und neuen Kontakte aus, die sich aus den Veränderungen ergeben werden, die Sie anstreben. Begeistern Sie sich für das, was Sie vorhaben.

4. WÜRDIGEN SIE AUCH KLEINE FORTSCHRITTE. Feiern und würdigen Sie jeden noch so kleinen Fortschritt auf dem Weg zu Ihrem Ziel. Auf diese Weise geben Sie sich die Kraft, den nächsten Schritt zu wagen. Belohnen Sie sich, haben Sie Spaß! Freude ist eine unerschöpfliche Energiequelle.
5. BEHALTEN SIE IHREN TRAUM FÜR SICH, SOLANGE SIE NOCH UNSICHER SIND. Überlegen Sie gut, wem Sie von Ihrem Traum erzählen. Setzen Sie sich den möglicherweise entmutigenden Einflüssen anderer nicht aus, solange Ihre Entschlossenheit noch auf etwas wackligen Beinen steht. Außerdem hat ein geheim gehaltener Traum eine besondere Wertigkeit, die ebenfalls motivierend wirken kann.
6. ZEIGEN SIE IHRE DANKBARKEIT. Wenn Sie von engen Freundschaften oder einer harmonischen Ehe träumen, müssen Sie lernen, die Freude zuzulassen, die Ihre Beziehungen Ihnen bereiten. Wenn Sie einen festen Partner haben, sollten Sie ihm täglich zeigen, dass Sie ihn schätzen und ihm für seine Zuneigung dankbar sind. Schon bald wird Ihr Verhalten auf ihn „abfärben". Gerade in einer langjährigen Beziehung sollten Sie sich hin und wieder an die Dinge erinnern, die Sie früher gemeinsam getan haben. Es sind die vielen Kleinigkeiten, die eine Liebe am Leben erhalten: Eine Blume, ein Brief, ein schönes Essen oder auch nur ein Händedruck und ein Lächeln. Nehmen Sie die Dinge ernst, die Ihrem Partner wichtig sind, und hören Sie ihm zu.

## Der richtige Umgang mit äußeren Einflüssen

Falls Ihre Freunde oder Ihre Familie ablehnend auf Ihre Pläne reagieren, Sie kritisieren oder Ihnen abraten, schwindet Ihre Energie. Deshalb sollten Sie warten, bis Sie sich Ihrer Sache sicher sind und möglichst schon erste Erfolge vorzuweisen haben, bevor Sie sich anderen Menschen mitteilen. Und auch dann sollten Sie darauf achten, sich nur solchen Personen zu öffnen, auf deren Unterstützung Sie zählen können. Fragen Sie nicht nach der Meinung von Leuten, die zu übermäßiger Kritik neigen. Sollte Ihnen jemand unerbetene Ratschläge geben wollen, die Sie demotivieren, brechen Sie das Gespräch ab. Danach sprechen Sie sich neuen Mut zu. Um Ihre Motivation zu stärken, brauchen Sie „Verbündete“, deren Unterstützung Sie sicher sein können.

Darüber hinaus können Sie sich Informationen beschaffen, die Ihre Motivation schüren – aus Büchern, Zeitschriften oder im Internet. Gehen Sie selektiv vor. Wählen Sie aus, was Ihnen hilfreich erscheint, und glauben Sie nicht, Ihre Informationsquelle wüsste besser über Ihren Traum Bescheid als Sie. Nehmen Sie nicht alles für bare Münze, was irgendwo geschrieben steht. Wenn Ihnen jemand mit „Fakten“ kommt, die Sie entmutigen, zweifeln Sie diese ruhig an. Finden Sie einen Weg, sie zu umgehen. Und seien Sie kritisch. Nehmen Sie nur Ideen an, die für Ihre Zwecke hilfreich sind, und lehnen Sie alles ab, was Ihre Motivation hemmt.

Jeder Mensch, der je etwas Neues schuf, tat damit etwas, was zuvor für unmöglich gehalten wurde. Wenn Sie das Gefühl haben, Ihr Mut und Ihr Enthusiasmus lassen Sie im Stich, sollten Sie überlegen, ob Sie sich genügend Selbstbestätigung und Lob spenden. Nutzen Sie die Selbstgespräche vor dem Spiegel, die tägliche

Rekapitulation und die Tipps zur Motivation durch Lob, um sich neue Kraft zu geben.

## Feiern Sie die kleinen Dinge

Warum brauchen wir fast immer große Anlässe zur offiziellen Anerkennung unserer Leistungen? Ist nicht auch ein kleiner Erfolg ein Erfolg? Freuen Sie sich, dass das Glas „halb voll" ist, anstatt immer nur die Dinge zu sehen, die gerade nicht perfekt sind. Ihre Konzentration sollte auf dem liegen, was Sie bereits erreicht haben. Und je mehr Sie jeden kleinen Schritt auf dem Weg zum Ziel „aufbauschen", umso besser und selbstsicherer fühlen Sie sich.

Als allein erziehende junge Mutter plagten **Karen** bisweilen starke Zukunftsängste. Glücklicherweise fand sie Rückhalt in ihrer Kirchengemeinde. Die Menschen dort ermutigten sie und gaben ihr Zuversicht. Fast jede Woche fanden sie einen Grund zum Feiern – etwa wenn Karens Kinder einen Schultest bestanden oder Karen sich beruflich weitergebildet hatte. Diese kleinen Feiern bauten Karen auf und machten ihr klar, dass sie ihr Augenmerk auf das lenken sollte, was sie bereits erreicht hatte, anstatt sich von dem schrecken zu lassen, was noch vor ihr lag. Heute ist sie erfolgreich in ihrem Beruf, baut zu Hause ihre eigene Computerfirma auf und bereitet eine Gesangskarriere vor – und die Mitglieder ihrer Kirchengemeinde sind begeistert. Karen weiß, wie viel Hilfe sie auf ihrem Weg bekommen hat, und in ihren Gebeten bedankt sie sich dafür.

## Spenden Sie sich selbst Trost, Sicherheit und Ruhe

Wie lange ist es her, seit Sie sich das letzte Mal so richtig verwöhnt haben? Sie brauchen hin und wieder eine Verschnaufpause auf dem Weg zu Ihrem neuen Ich. Finden Sie heraus, wie Sie sich am besten entspannen – und neue Kraft tanken können. Was tut Ihnen gut? Was gibt Ihnen Kraft? Machen Sie eine Liste mit den Dingen, die Ihnen helfen, Ihre Batterien neu aufzuladen: ein Schaumbad, Yoga, ein ausgedehnter Spaziergang, ein Telefonat mit der besten Freundin oder ein zehnminütiges Nickerchen. Wichtig ist, dass auf dieser Liste sowohl Dinge stehen, die sich mühelos in Ihren Alltag integrieren lassen (zum Beispiel eine Tasse Tee trinken und dabei ein gutes Buch lesen), als auch „besondere“ Dinge (etwa ein Wochenende in einer kleinen Pension auf dem Lande, eine Massage oder ein Besuch bei der Kosmetikerin). Halten Sie Ihre „Auftankliste“ griffbereit, damit Sie sie jederzeit einsehen können, wenn Sie sie brauchen.

**Julie** war schnell klar, dass sie bei all dem Stress, den sie durch die Pflege ihrer Eltern hatte, regelmäßig Dinge tun musste, die ihr beim Regenerieren halfen. Sie erstellte sich eine Liste mit drei Kategorien. Die erste Kategorie enthielt Sachen, die gratis waren: ein Spaziergang am Strand, ein gutes Buch lesen, Musik hören, für einen Moment die Augen schließen. In der zweiten Kategorie fanden sich Extras, die wenig kosteten: Essen von einem Lieferservice bringen lassen, eine Illustrierte kaufen und im Bett lesen, ein Video ausleihen, einen neuen Lippenstift oder Nagellack kaufen. Die dritte Kategorie bestand aus Extras, die mehr kosteten: ein Essen mit Freunden in einem Restaurant, eine Massage, für einen Tag einen Pflegedienst für die Eltern engagieren. Mit der Zeit ergänzte Julie die Liste um Dinge, die ihr noch einfielen, und immer, wenn sie sich besonders angespannt und matt fühlte, holte sie sie hervor und suchte sich etwas darauf aus. Einige ihrer Freunde, denen Sie die Liste gezeigt hatte, überraschten sie hin und wieder mit einem kleinen Extra: Sie luden sie zum Essen ein oder brachten ihr ein Buch, eine CD oder ein Video mit.

## Lassen Sie Ihre Träume Wirklichkeit werden

Sie haben nun bereits einiges Rüstzeug in der Hand, um Ihre Träume wahr zu machen. Ängstigen Sie sich nicht davor, Ihr Leben zu verändern, sondern machen Sie sich bewusst, dass sich jeder von uns täglich verändert. Schließlich bringt jeder Tag neue Erfahrungen, mit denen wir (oft unmerklich) wachsen.

Erklären Sie die Übungen in diesem Kapitel zum Teil Ihres Alltags – Sie werden staunen, welches Potenzial und welches Wissen Sie bereits mitbringen. Und genau dieses Potenzial können Sie nun sinnvoll nutzen, um alles durchzusetzen, was Ihnen wichtig ist. Loben Sie sich und feiern Sie Ihre Teilerfolge, um sich sanft, aber beständig zu motivieren, bis Sie Ihren Traum realisiert haben!

Kapitel VIII

# Nehmen Sie's leicht: Sorgen Sie dafür, dass das Leben wieder mehr Spass macht

Lebensfreude ist die beste Kosmetik einer Frau.

*Rosalind Russell*

Das Leben besteht nicht nur aus bitterem Ernst – wenn es sich lebenswert anfühlen soll, müssen wir auch Spaß daran haben. Ja, Spaß! Wir müssen hin und wieder Vergnügen haben, lachen und albern sein, um uns zu regenerieren, Hoffnung und Zuversicht zu schöpfen und uns mit anderen Menschen zu verbinden. Darüber hinaus festigt Fröhlichkeit die Verbindung mit uns selbst, weil wir damit jene Teile unserer Persönlichkeit ansprechen, die wir seit Kindertagen in uns tragen: die intuitiven und spontanen Bereiche unseres Seins.

Bedauerlicherweise haben heute viele Menschen eine verzerrte Wahrnehmung dessen, was „Spaß" bedeutet. Für einige ist Spaß mit Exzessen verbunden, mit Alkohol oder Extremsportarten. Andere wiederum glauben, um

Spaß zu haben müssten sie Unmengen Geld ausgeben – für luxuriöse Reisen oder Essen in Nobelrestaurants. Wieder andere meinen, Spaß könnte man nur haben, wenn man sich mit den „richtigen Menschen“ umgibt. Am ärmsten dran sind diejenigen, die sich darauf verlassen, dass andere für ihren Spaß am Leben sorgen.

Dabei hat Freude am Leben nichts mit Geld oder Extremen zu tun. Sie ist weder an ein bestimmtes Ambiente gebunden noch an eine bestimmte Gesellschaftsschicht oder fixe Aktivitäten. Lebensfreude ist etwas, das von innen kommt – wenn wir ruhig dasitzen und über Angenehmes nachdenken, im Garten arbeiten, die Katze streicheln, ein ruhiges Gespräch mit einer Freundin führen oder Karten spielen. Auch Singen, Tanzen, Sport und Malen machen vielen Menschen Freude. Mir sind sogar schon Frauen begegnet, die am Lösen komplizierter Mathematikaufgaben Spaß hatten.

„Für die meisten von uns ist Spaß gleichbedeutend mit Verantwortungslosigkeit, Egoismus und Unreife ... Wir glauben, Spaß ließe sich nicht mit dem verbinden, was wir anstreben, nämlich Verlässlichkeit, Vertrauenswürdigkeit und die Fähigkeit zu tiefen Beziehungen“, schreibt die Journalistin Dalma Heyn in ihrem Artikel „Why Girls Don't Wanna Have Fun“, der im Juni 1995 in der Zeitschrift „New Woman“ erschien. „Spaß ist sexy. Wer lacht, wirkt lebensbejahend ... Aus gemeinsamem Spaß wächst Vertrauen, Respekt und schließlich Verbundenheit; Spaß schafft Intimität. Als Katalysator statt als Plänkelei betrachtet, ist Spaß alles andere als oberflächlich.“

# Spaß im Alltag

Viele Leute halten Spaß für etwas, das man sich zu besonderen Anlässen gönnt und das im Voraus geplant wird. Ganze Industriezweige leben von dieser Auffassung. Es scheint, als würde wöchentlich irgendwo ein neuer riesiger Vergnügungspark eröffnet. Doch wenn Sie an die vergnügtesten Momente Ihres bisherigen Lebens zurückdenken, waren diese höchstwahrscheinlich spontaner und einfacher Art – nicht konstruiert und teuer. Spaß ist „Rekreation" – eine Beschäftigung, die uns „wieder-erschafft", das heißt, uns das Leben aus einem neuen Blickwinkel betrachten lässt.

Sie müssen Spiel und Spaß nicht von allem anderen trennen, das Sie tun. Oft erweist sich eine unbeschwerte Herangehensweise selbst bei noch so ernsten Aufgaben als die produktivste.

Was Spaß für Sie bedeutet, wissen Sie bereits. Sehen Sie sich Ihre Antworten zu den verschiedenen Punkten unter „Wie Sie sich durch Lob motivieren" an. Sie enthalten den Schlüssel zu dem, was Ihnen Spaß macht. Und gewiss kennen Sie das Gefühl, so verbissen Spaß haben zu wollen, dass er sich garantiert nicht einstellte. „Wenn wir alles andere außen vor lassen – Arroganz, Kompliziertheit, einfach alles, was uns im Wege steht", schreibt Benjamin Hoff in seinem Buch „Tao Teh Puh", „kommen wir früher oder später hinter jenes schlichte, kindliche und mysteriöse Geheimnis ... Das Leben macht Spaß."

Spaß ist eine kreative und spirituelle Erfahrung – ein Ausdruck unserer Freude am Alltäglichen. Es braucht nichts weiter als einen veränderten Blickwinkel, um die ach-so-ernsten Momente unseres Lebens in Spaß zu verwandeln. Ein Zwinkern, ein Lächeln und ein gemeinsames Lachen: Schon wird aus trockenem Ernst ein heller Spaß. Wie ich bereits in meinem Buch für die Frau unter vierzig schrieb:

> Im Spiel distanzieren wir uns von dem Stress, den unsere Umgebung auf uns ausübt. Wenn wir spielen, sind wir kreativ und spontan – darauf bedacht, dass wir und andere Spaß haben. Im Spiel gilt unsere Aufmerksamkeit in erster Linie dem Augenblick, losgelöst von unseren Problemen oder Pflichten. Spaß in einer Beziehung oder einer Freundschaft gemeinsam zu erleben festigt die Bindung, weil positive Momente zu schönen gemeinsamen Erinnerungen werden.

Jeder kann die Fähigkeit erlernen, Spaß zu haben. Und wie alle anderen emotionalen Fähigkeiten entsteht auch sie von innen heraus.

## Einfache Freuden

Die Freude am Leben beginnt mit der richtigen Einstellung. Dieselbe Tätigkeit, die uns heute trocken und öde vorkommt, kann schon morgen das reinste Vergnügen sein, wenn wir lernen, sie von der richtigen Warte aus zu sehen. Ohne eine Portion Humor ist das Leben wenig lebenswert. Unser Sinn für Humor kann Durststrecken erträglicher machen. Lachen kann einen Streit in eine vernünftige Auseinandersetzung verwandeln. Lachend besiegen wir Erschöpfung und Müdigkeit. Sobald Sie wissen, wie Sie für mehr Spaß in Ihrem Leben sorgen können, und erkannt haben, in welchen Situationen Sie dies bereits tun, werden Sie imstande sein, mit einfachen Mitteln mehr Freude in Ihren Alltag zu bringen.

Spaß wird erst dann möglich, wenn wir einen Moment bewusst erleben, obwohl (oder gerade weil) wir in diesem Moment etwas tun, das wenig Aufmerksamkeit von uns erfordert – wenn wir uns beispielsweise auf dem Weg zum Supermarkt befinden. Schenken Sie allem, was Sie tun, Ihre volle Aufmerksamkeit, um sich offen zu halten für das, was sich Ihnen an Gelegenheiten zum Spaß bietet. Es mag zunächst aberwitzig klingen, doch es ist ein überaus kreativer Prozess, der in Ihrem Innern beginnt.

In der folgenden Übung schaffen Sie sich einen Platz, an dem Sie gern mit sich allein sind. Hier können Sie den inneren Frieden und die Ruhe finden, die Sie brauchen, um Ihre Kreativität anzuregen und zu erhalten.

## Schaffen Sie sich einen Rückzugsort

In dieser Übung lernen Sie, sich in Gedanken einen Rückzugsort zu schaffen. Dieser Ort wird Ihnen mit der Zeit immer vertrauter und zugänglicher, sodass Sie ihn schon bald jederzeit aufsuchen können, um sich dort zu besinnen und zu sammeln. Außerdem soll Ihnen diese Übung helfen, Ihr kreatives Denken zu fördern und sinnliche Eindrücke auf Ihre Imagination wirken zu lassen. Sie werden aufgefordert, alles genau anzuschauen, zu tasten, zu riechen, zu hören und zu schmecken. Je besser Sie die sinnliche Wahrnehmung Ihrer Umgebung beherrschen, umso präsenter sind Sie in Ihrem Leben. Lassen Sie sich Zeit, Ihre Sinne zu schärfen. Mit einigem Training wird Ihr sinnliches Bewusstsein immer stärker sensibilisiert, sodass alle Bilder, Geräusche, Gefühle, Gerüche und Geschmäcker der Welt um Sie herum von Ihnen wahrgenommen werden und auf Sie wirken können.

Sprechen Sie die nachfolgenden Anweisungen auf ein Tonbandgerät oder lesen Sie sie mit einer Freundin abwechselnd vor. Auf diese Weise befreien Sie Ihre Vorstellungskraft von unnötigem Ballast und können sich frei in den Kulissen bewegen, die Ihre Imagination Ihnen anbietet, ohne sich selbst unterbrechen zu müssen, um die nächsten Sätze zu lesen.

1. WÄHLEN SIE EINE KULISSE. Stellen Sie sich einen Ihrer Lieblingsorte vor, an dem Sie sich entspannt und unbeschwert fühlen und gern mit sich allein sind – einen Tropenstrand, einen Wasserfall, eine Hollywoodschaukel, eine luxuriöse Hotelsuite oder einen Platz bei Ihnen zu Hause. Prüfen Sie, ob sich die Kulisse in Ihrem Kopf „echt" anfühlt. Wahrscheinlich haben Sie zunächst den Eindruck einer entrückten Szenerie, doch diese Distanz wird nach und nach geringer.
2. VERFEINERN SIE IHRE VISION. Lehnen Sie sich entspannt zurück, schließen Sie die Augen und stellen Sie sich die von Ihnen gewählte Szene so klar und detailreich wie möglich vor. Dabei sollten Sie sich nicht zu sehr „anstrengen" oder gar verkrampfen. Lassen Sie das Bild einfach in Ihrem Kopf wachsen, und ergänzen Sie es um die Details, die Ihnen in den Sinn kommen. Es geht nicht um ein möglichst naturgetreues, perfektes Abbild, sondern um ein Bild, das Ihrer Vorstellung entspricht. Nun schauen Sie sich an, wie es aussieht. Ist es drinnen oder draußen? Ist es Tag oder Nacht? Sind dort Blumen, Bäume, Felsen, Möbel

oder Dekorationsgegenstände? In den folgenden Fragen werden Ihre übrigen Sinne aufgefordert, das Bild zu vervollständigen.

3. WERDEN SIE TEIL DER SZENE. Nun stellen Sie sich vor, Sie selbst wären ein Teil der Szene. Stehen, sitzen oder liegen Sie? Welche Dinge befinden sich direkt in Ihrer Nähe? Weiter entfernt? Welche Kleidung tragen Sie? Wie sehen Sie aus?
4. BENUTZEN SIE IHREN TASTSINN. Liegen Sie auf einer Wiese, sitzen Sie in Ihrem Lieblingssessel, stehen Sie an einer Straße oder baumeln Ihre Füße in einem klaren Bach? Wie fühlt sich die Luft um Sie herum an? Ist sie frisch und klar wie nach einem Regenschauer oder schwer und süßlich wie an einem heißen Sommertag? Streicht ein Windhauch über Ihr Gesicht, fliegt Ihr Haar im Wind? Ist Ihnen warm oder kalt? Ist Ihre Kleidung kratzig oder weich, weit oder eng? Sind Sie überhaupt angezogen?
5. HORCHEN SIE IN DIE SZENE HINEIN. Hören Sie Verkehrslärm, ein Radio, Musik, Stimmen aus einem anderen Raum, knarrende Dielen, einen surrenden Ventilator, Vogelgezwitscher, Wasserplätschern oder Windrauschen?
6. BENUTZEN SIE IHREN GERUCHSSINN. Welche Düfte erkennen Sie? Riecht es nach Essen, Blumen, Tieren, Regen, Reinigungsmitteln oder Pfeifentabak?
7. BENUTZEN SIE IHREN GESCHMACKSSINN. Schmecken Sie etwas? Läuft Ihnen das Wasser im Mund zusammen, weil es nach gutem Essen oder frischem Kaffee riecht? Legt sich der staubige Geschmack eines alten Dachbodens auf Ihre Zunge oder das süßlich-metallische Aroma von Regen?
8. FASSEN SIE ALLE SINNESEINDRÜCKE ZUSAMMEN. Bringen Sie alle sinnlichen Wahrnehmungen

Ihres Rückzugsortes zu einem Gesamtbild zusammen. Entspannen Sie sich, damit die vielen Sinneseindrücke auf Sie wirken können. Sie sollten mit den Details Ihres Rückzugsortes möglichst vertraut sein, bevor Sie zum nächsten Schritt übergehen.

9. PERFEKTIONIEREN SIE IHREN RÜCKZUGSORT. Sehen Sie sich an diesem speziellen Ort um, der nur Ihnen allein gehört. Gefällt es Ihnen hier? Ändern und verbessern Sie alles, was Ihnen nicht gefällt, bis es Ihren Vorstellungen vollkommen entspricht. Wünschen Sie sich mehr Ruhe? Mehr Licht? Mehr Gras und grüne Bäume? Einen gemütlicheren Sitzplatz? Probieren Sie verschiedene Varianten aus; Sie können Ihre Änderungen jederzeit rückgängig machen, falls Sie Ihnen nicht zusagen. Wenn Sie das Gefühl haben, es ist alles genau so, wie Sie es wollen, gehen Sie weiter zum nächsten Schritt.
10. BEOBACHTEN SIE, WIE SIE SICH FÜHLEN. Wie geht es Ihnen? Sind Sie ruhiger, entspannter, sicherer? Empfinden Sie Gefühle, die Sie lange nicht mehr hatten, wie Nostalgie, Frieden, Traurigkeit, Glück, Liebe zu anderen oder zu sich selbst? Haben Sie bemerkt, dass die Konzentration auf die Sinneseindrücke Ihres Rückzugsortes die Sinneseindrücke Ihrer realen Welt abschwächte? Möglicherweise fühlen Sie sich an dem visualisierten Ort „präsenter" als in Ihrer wirklichen Umgebung. Entspannen Sie sich einige Minuten, lassen Sie alle Eindrücke auf sich wirken und genießen Sie den Frieden an Ihrem Rückzugsort. Anschließend lenken Sie Ihre Aufmerksamkeit ganz langsam wieder auf Ihre reale Umgebung und öffnen vorsichtig die Augen.

Visualisierungen wie diese können Sie jederzeit nutzen, um einen belastenden oder öden Moment in eine Phase der Erholung zu verwandeln.

**Sally** versetzt sich in ihrer Fantasie an eines ihrer Lieblingsreiseziele, wann immer sie unter Stress steht. Sie empfindet es wie einen Miniurlaub, wenn sie sich selbst vor dem Taj-Mahal, an einem Strand auf Tahiti oder in einem Café auf dem Boulevard St. Germain in Paris visualisiert. Nach wenigen Minuten kehrt sie erfrischt und mit neuer Kraft an ihre Arbeit zurück. Und sie hat festgestellt, dass sie während ihrer „echten" Reisen viel bewusster auf das achtet, was sich ihren Sinnen darbietet. Sie nimmt Farben, Bilder, Gerüche und Geräusche intensiver wahr. Indem sie auf alles achtet, was um sie herum passiert, schafft sie sich klare und schöne Erinnerungen.

Visualisierungsübungen wie die vorangegangene sollen Ihnen helfen, sich jederzeit und überall auf sich selbst zu besinnen, den Einklang zwischen sich und Ihrer Umwelt herzustellen. Indem Sie Ihre Umgebung mit all Ihren Sinnen wahrnehmen, bleiben Sie in jedem Moment Ihres Lebens absolut präsent. Und Sie schaffen sich zugleich einen Ruhepol, an den Sie sich zurückziehen können, wann immer Sie eine Pause inmitten Ihres hektischen Alltags brauchen. Nach „Spaß" sieht diese Visualisierungsübung auf den ersten Blick zwar nicht unbedingt aus, aber weil sie hilft, Stress abzubauen und zu entspannen, sorgt sie dafür, dass Spontaneität und Vergnügen fortan als natürlicher empfunden werden.

Je vertrauter Sie mit Ihrem inneren Gefühl von Sicherheit und Frieden werden, umso mehr ändert sich Ihre Vorstellung von Spaß. Ein chinesisches Sprichwort lautet: „Wer sechs Monate glücklich sein will, heiratet. Wer ein Leben lang glücklich sein will, legt einen Garten an."

**Julie** ist durch die Pflege ihrer Eltern stark in Anspruch genommen, sodass ihr wenig Zeit für sich bleibt. Sie hat entdeckt, dass es ihr gut tut, auf ihrer Veranda Petunien zu pflanzen. Die Arbeit mit den Topfpflanzen, für die Julie täglich ein paar Minuten erübrigt, lässt ihre Gedanken zur Schönheit der Welt um sie herum zurückkehren, und sie besinnt sich dabei auf all die wunderbaren Dinge, die wir gemeinhin für selbstverständlich nehmen.

Sobald Sie gelernt haben, was es bedeutet, wirklich alles intensiv zu erleben, was Sie tun, bekommen selbst profanste Tätigkeiten einen neuen Sinn. Üben Sie, jeden Moment Ihres Lebens mit all Ihren Sinnen aufzusaugen, und Sie werden erkennen, wie viel reicher, lebendiger und aufregender Ihr Dasein wird.

Mihaly Csikszentmihaly schreibt in seinem Buch „Die außergewöhnliche Erfahrung im Alltag":

> Flow bedeutet zunächst, dass wir unsere gesamte Konzentration dem widmen, was wir im Moment gerade tun. Dadurch errichten wir gleichsam eine Barriere gegen alle anderen Einflüsse, die auf uns einströmen. Nur wenn Entspannung als eine Form der Aktivität wahrgenommen wird ... kann sie in den Flow münden ... Man muss aufmerksam sein für das, was um einen herum geschieht, sich dafür interessieren und sich selbst im Prozess dieser Aufmerksamkeit vergessen. Somit verleiht man allem, was man tut, Bedeutung. Beim morgendlichen Aufstehen stellt man sich vor, was der Tag an Bedeutendem und Interessantem bereit hält. Indem man versucht, das Frühstück, das Zähneputzen und alles andere zu genießen, indem man einen Weg findet, ein interessantes Gespräch anzuregen, sorgt man für innere Entspannung und Zufrieden-

heit. Und das ist es, was unser Leben lebenswert macht – nicht die Dinge, die wir morgen oder übermorgen erreichen werden.

## Die Kraft des Lachens

Obwohl wir alle gern lachen, ahnen die wenigsten, welche Kraft in der Gabe des Lachens schlummert. Wenn Sie Ihre Kinder oder Freunde zum Lachen bringen, Ihrem Ehepartner mit einer spaßigen Bemerkung die Stimmung aufhellen oder selbst in schwierigen Situationen noch eine gewisse Komik erkennen, dann besitzen Sie die großartige Gabe, Ihre Mitmenschen mit Humor zu beschenken. Wie der französische Philosoph François La Rochefoucauld schrieb: „Es braucht einen Hauch von Verrücktheit, wollen wir uns nachhaltig der gelegentlichen Unbill entziehen, die unser Leben unter gewissen Umständen mit sich bringt."

**Laurie** erhielt eines Tages einen Anruf von ihrer Freundin Sylvia: „Ich vermisse dich. Ich habe dich seit Tagen nicht mehr gesprochen." „Na, das ist ein echtes Kompliment, danke", antwortete Laurie. „Ich hatte unglaublich viel zu tun, aber ich habe dich auch vermisst." Sie plauderten einige Minuten, als Sylvia meinte: „Ich weiß gar nicht warum, aber ich fühlte mich heute den ganzen Tag mies, irgendwie niedergeschlagen." Laurie kicherte schelmisch: „Weil du mich vermisst hast." Sylvia lachte. „Stimmt! Ich fühle mich schon um Klassen besser."

Oft muss man nur mit einer guten Freundin zusammen lachen, damit der ganze Tag im Nachhinein besser aussieht. Ein herzhaftes Lachen inmitten erdrückender

Probleme weckt Hoffnung auf bessere Zeiten. Unter Forschern herrscht Einstimmigkeit darüber, dass Lachen das Immunsystem stärkt und Heilungsprozesse fördert.

Mancher Leser mag sich daran erinnern, dass Norman Cousins, Verleger der „Saturday Review", in seinen Memoiren „The Anatomy of an Illness" behauptet, seine lebensbedrohliche Krankheit durch Lachen geheilt zu haben. Studien haben mittlerweile bestätigt, dass Lachen einen positiven Einfluss auf das körperliche Wohlbefinden und somit auch auf die Lebenserwartung hat. So schreibt auch Sabina White vom Santa Barbara Laughter Project:

> Es steht außer Frage, dass Lachen sowohl physiologisch als auch psychologisch positive Wirkungen zeigt. Ähnlich wie Sport baut es Spannungen ab ... Lachen ist wie ein Mini-Workout für den Körper. Und wie Sport spricht auch Lachen praktisch den ganzen Körper an. Lachen wirkt kathartisch ... Wir fühlen uns besser, wenn wir lachen ... Warum sollten wir nicht mehr lachen, um uns noch besser zu fühlen?

„Ja, es ist wissenschaftlich erwiesen, dass Lachen nicht nur sprichwörtlich eine gute Medizin ist", schreibt Real-Age.com:

> Zahlreiche Studien haben nachgewiesen, dass es viele gesundheitliche Vorteile mit sich bringt, dann und wann richtig laut zu lachen. Lachen senkt den Blutdruck und setzt Endorphine frei – Chemikalien, die das Gehirn zur Schmerzlinderung einsetzt und die dazu beitragen, das allgemeine Wohlbefinden zu heben. Außerdem hält man Lachen für veranwort-

lich dafür, dass der Kreislauf ausgeglichener funktioniert, das Nervensystem stabilisiert, das Herz gestärkt und das Immunsystem verbessert wird.

Wenn Sie in jeder noch so vertrackten Situation die Komik entdecken, zum richtigen Zeitpunkt die richtige Grimasse ziehen können, ist das eine wundervolle Gabe. Beliebte Humoristen wie Will Rogers, Woody Allen, Bill Cosby, Whoopi Goldberg und Lily Tomlin haben alle das Talent, sich in einer angenehmen, empathischen Weise über das lustig zu machen, was wir tagtäglich durchleben. Humor hilft uns, den Alltag vergnüglicher zu machen, die Zahnräder unserer familiären, freundschaftlichen und beruflichen Beziehungen zu schmieren. Finden Sie heraus, was Sie selbst und was die Menschen um Sie herum lustig finden, welche Filme Sie mögen, welche Bücher, welche Komiker, um die Beziehungen zu Ihren Mitmenschen mit Vitalität und Humor zu füllen.

## Arbeit und Spaß ins Gleichgewicht bringen

Wie lassen sich Spaß und die Erfüllung von Pflichten vereinbaren? Ganz einfach: indem Sie eine Balance zwischen beiden herstellen. Die folgenden Anregungen helfen Ihnen, Arbeit und Spaß in Ihrem Leben ins Gleichgewicht zu bringen.

### Lernen Sie, Spaß zu haben

1. „SPIELEN" SIE TÄGLICH. Lassen Sie in Ihrem Tagesplan Platz für Aktivitäten, die Sie entspannen und Ihnen Vergnügen bereiten.

2. FINDEN SIE HERAUS, WAS IHNEN SPASS MACHT. Blicken Sie auf Ihr Leben zurück und finden Sie heraus, welche Momente Ihnen besonders Spaß gemacht haben. Was haben Sie damals gemacht? Mit wem waren Sie zusammen? Was entspannt und erfrischt Sie? Führen Sie eine „Spaß-Liste", damit Sie das nächste Mal, wenn Sie sich entspannen und Spaß haben wollen, ein paar Ideen zur Hand haben.
3. SUCHEN SIE SICH SPASS-VERBÜNDETE. Finden Sie heraus, mit welchen Leuten Sie sich am besten amüsieren. Das kann Ihre dreijährige Enkeltochter oder Ihre zwanzigjährige Freundin sein. Vielleicht sind es die Frauen in Ihrem Aerobic-Kurs oder Ihre Nachbarn. Machen Sie eine Liste der Menschen, von denen Sie wissen, dass sie sich Zeit nehmen, um ihr Leben zu genießen. Und sorgen Sie dafür, mehr Zeit mit diesen Leuten zu verbringen.
4. LACHEN SIE VIEL. Unternehmen Sie so häufig wie möglich Dinge, die Sie zum Lachen bringen. Leihen Sie sich Ihre Lieblingskomödie aus der Videothek aus. Wie gesagt: Lachen ist nachweislich gesund!
5. SEIEN SIE SPONTAN. Spontaneität kann man üben, und genau das sollten Sie tun. Machen Sie öfter einmal etwas, das Sie nicht vorher geplant haben. Erlauben Sie sich, Scherze oder witzige Bemerkungen zu machen oder einfach mal albern zu sein.
6. PLANEN SIE SPASS EIN. Sie müssen nicht jeden Samstag das ganze Haus putzen. Stattdessen sollten Sie regelmäßig Dinge tun, die Ihnen Spaß machen. Laden Sie die „Spaß-Verbündeten" Ihrer Liste zu sich ein. Spielen Sie mit ihnen ein Spiel, das Sie zum Lachen bringt, oder feuern Sie gemeinsam mit ihnen Ihr Lieblingsteam im Stadion an.

7. FEIERN SIE ETWAS ALBERNES. Sie können beispielsweise Ihren Nicht-Geburtstag (oder den Ihrer Freundin) an irgendeinem x-beliebigen Tag feiern. Oder Sie geben eine Wochenmitteparty. Vielleicht möchten Sie auch eine Freundin zum Essen einladen und überraschen sie mit einem Picknick im Park. Verschicken Sie Grußkarten, weil Mittwoch ist, oder lassen Sie per E-Mail einen virtuellen Champagnerkorken knallen. Rufen Sie eine Freundin an, und singen Sie ihr ein albernes Lied am Telefon vor.

Ergänzen Sie eigene Ideen, die Sie so oft wie möglich in die Tat umsetzen. Sie haben hart genug gearbeitet, um in der Lebensmitte mit Spaß, Freundschaft, Lachen und sinnlichem Genuss belohnt zu werden. Leben Sie Ihr Leben in vollen Zügen. Wie Sie gesehen haben, entscheidet einzig Ihre Einstellung darüber, wie viel Spaß Sie in Ihrem Leben haben. Motivieren Sie sich, indem Sie auch kleine Siege feiern. Wenn Sie jetzt beschließen, an allem mehr Spaß zu haben, maximieren Sie damit Ihre Lebensfreude.

KAPITEL IX

# WAS TUE ICH HIER? WIE SIE IHREM LEBEN EINEN SINN GEBEN

Erst wenn wir begriffen haben, welchen Sinn unser Leben hat – und damit ist keineswegs immer ein religiöser Sinn gemeint, sondern ein tiefer, innerer Sinn –, können wir anfangen, die Kontrolle darüber zu übernehmen.

*Oprah Winfrey*

Als Therapeutin sehe ich viele meiner Klienten vergleichbare Stadien der Persönlichkeitsentwicklung durchlaufen. Als Erstes versuchen sie zu ergründen, was sie belastet; dann lernen sie, ihre Stressquellen (sowohl innere als auch äußere) zu kontrollieren. Und danach kommen sie an einen Punkt, an dem sie sich fragen: „Was nun?" Ihre Sinnsuche beginnt. Mit zunehmendem Alter wird immer weniger interessant, was wir im Leben erreichen können, dafür wächst unser Bedürfnis zu erkennen, was unser Leben bedeutet. Früher oder später stoßen wir alle auf die Frage nach dem Sinn, und je früher wir uns mit ihr auseinander setzen, umso besser stehen unsere Chancen, eine zufrieden stellende Antwort zu finden. Da jeder von uns anders ist, haben wir auch unterschiedliche Vorstellungen von dem, was „zufrieden stellend" und „sinnvoll" ist – aber wir erkennen es, wenn wir es fühlen.

Jetzt, da Sie über vierzig sind, wird die Aufgabe, Sinn und Freude in Ihr Leben zu bringen, wahrscheinlich zu einer Jetzt-oder-nie-Frage.

Dieses Phänomen ist gemeint, wenn man von der berüchtigten „Midlife-Crisis" spricht, die Menschen zwischen ihrem vierzigsten und fünfzigsten Geburtstag ereilt. Die meisten Frauen verwehren sich Zufriedenheit, indem sie ihre Erfolge und Errungenschaften nicht würdigen und auch nicht von anderen gewürdigt wissen wollen. Sollten Sie zu der Behauptung neigen „Ich war doch nur Hausfrau" oder „Ich habe nur einen einfachen Job gehabt" oder „Ich habe keine besondere Schulbildung", dann unterbewerten Sie, was Sie in dieser Welt geleistet haben. Doch unabhängig davon, ob Sie Ihre Errungenschaften zu schätzen wissen oder nicht, wachen Sie möglicherweise eines Morgens auf und fragen sich, „Was hat das alles für einen Sinn? Warum tue ich das? Wozu taugt das, was ich mache?"

Sie müssen nicht verzweifeln, weil Sie sich diese Fragen stellen, denn genau sie sind die Hinführung zu dem sinnvollen Leben, das Sie führen möchten. Als Teil der Baby-Boomer-Generation haben Sie in den vergangenen Jahrzehnten viele Veränderungen erlebt. Sie gehören zu jener Frauengeneration, die erstmals davon träumen durfte, dass ihr alle Möglichkeiten der Welt offen stehen. Falls es in Ihrem Leben noch etwas Unerledigtes gibt, Träume, die Sie nie wahrgemacht haben, oder Dinge, die

Sie bereuen, dann haben Sie jetzt die Chance, es zu dem Leben zu machen, das Sie sich immer gewünscht haben.

„Ich war bisher ganz und gar von meiner Arbeit und meinen Aufgaben als allein erziehende Mutter in Anspruch genommen", erzählt **Marian**. „Meine Sinnsuche beschränkte sich darauf, sonntags in die Kirche zu gehen. Heute ist mein Leben weniger chaotisch, Mandy ist älter, und ich stehe finanziell besser da. Ja, und nun beginne ich, über den Sinn meines Lebens nachzudenken. Mutter zu sein hat mir viel gegeben. Vielleicht beschäftigt mich deshalb auch die katastrophale Situation, in der sich allein erziehende Mütter mit niedrigem Einkommen befinden. Also habe ich beschlossen, meine juristischen Kenntnisse zum Wohle dieser Frauen und Kinder einzusetzen."

Ihre Eltern haben vielleicht noch die Erfüllung ihrer Träume darin gesehen, als Rentner ein friedliches Leben umringt von Enkelkindern zu führen. Das muss nicht heißen, dass Ihnen eine solche Zukunft ebenfalls genügt. Es ist daher an der Zeit, dass Sie sich Gedanken machen, wie ein Leben in Zufriedenheit und Freude für Sie aussähe – ein Leben, für das Sie dankbar wären.

## Worum geht es in Ihrem Leben?

Die Suche nach einem Sinn ist genau das: eine Suche – Entdeckungsreise, Lernprozess und kreatives Erlebnis zugleich. Zwar gibt es einige wenige Frauen, denen ihr Sinn durch dramatische Ereignisse – beispielsweise wenn sie dem Tode nahe kamen – plötzlich sonnenklar wird, doch die meisten von uns müssen ihren Lebenssinn auf andere – langsamere – Weise finden. Das Begreifen dessen, worum es in unserem Leben geht, ist ein Prozess, der sich schrittweise vollzieht und bereits in unserer Kindheit beginnt, wenn wir versuchen, den Sinn von Freude und Leid in unserem Leben zu verstehen. Meist handelt es sich um eine mehr oder minder unbewusste, passive Suche. Vielleicht kommen Sie irgendwann an einen Punkt, da Sie das Bedürfnis haben, aktiv nach dem Sinn zu forschen. Dann tritt das ein, was Dr. Bernie Siegel in seinem Buch „Peace, Love and Healing“ als die Frage nach „unserem Job auf der Erde“ bezeichnet:

> Wenn man lernt zuzuhören, kann man – unabhängig von seinem Alter – seine innere Stimme hören, die einem sagt, welches der richtige Weg für uns ist ... unser „Job auf der Erde“. Es ist eine innere Weisheit, die uns von innen her die Richtung weist, ein Geburtsrecht, wenn man so will ... eine Botschaft, ein inneres Bewusstsein, das uns sagt: „Dies ist dein Weg, den du gehen solltest, um der bestmögliche Mensch zu werden.“ Wer dieser Stimme folgt, wird Reife erlangen und sein Potenzial als Mensch bestmöglich nutzen ...

Es kostet Sie weit mehr, Ihre tiefsten Herzenswünsche zu verleugnen, als ihnen zu folgen. „Es ist ein gewisses Risiko, entdecken zu wollen, was unser Leben für uns lebenswert macht“, schreibt Marsha Sinetar in ihrem Buch „Ordinary People as Monks and Mystics“, „denn es bedeutet, dass wir danach handeln müssen, sobald wir es erkennen. Es gibt keine Alternative, da uns alles andere wertlos vorkäme.“ Wenn Sie das Risiko eingehen, wenn Sie Ihrem Herzen und Ihren Visionen folgen, werden Sie entdecken, was der Sinn Ihres Lebens ist. Und diese

Entdeckung wird Sie an Orte führen, von denen Sie bisher nur geträumt haben.

Die folgende Übung soll Ihnen eine klarere und distanziertere (nicht zu vergessen: freundlichere) Sicht Ihrer selbst und Ihres Lebens ermöglichen. Ihr Ziel besteht darin, dass Sie Ihre Person, Ihre Talente, Eigenschaften und Umstände künftig positiver wahrnehmen.

### Wie Sie den Sinn in Ihrem Leben entdecken

Stellen Sie sich vor, unser Leben wäre nach einem Plan organisiert, ein höheres Sein von unendlicher Weisheit und Kreativität hätte Ihre Persönlichkeit geschaffen, um zu einem ganz bestimmten Ziel zu gelangen. Was wäre Ihre Aufgabe in diesem Plan? Wären Sie Teil eines solchen Planes, dienten all Ihre angeborenen und erworbenen Talente und Eigenschaften dazu, Ihnen bei „Ihrem Job“ zu helfen. Überlegen Sie, was für ein Mensch Sie sind, welche Fähigkeiten Sie von Natur aus besitzen (auch solche, die Ihnen bisweilen Ärger bereiten). Welche Dinge würden Menschen, die Sie kennen, als außerordentlich an Ihnen bezeichnen? Lassen Sie Ihren Gedanken freien Lauf, wenn Sie die Fragen beantworten, und schreiben Sie Ihre Antworten in Ihr Tagebuch. Nutzen Sie den folgenden Fragenkatalog als Anregung – als Herausforderung an Sie, Ihre Talente, Eigenschaften, Wünsche und Lebensumstände zu bestimmen.

- Welches sind Ihre persönlichen Eigenschaften?
  - Sind Sie freundlich, offen und kontaktfreudig?
  - Sind Sie verschlossen, ruhig, reserviert?
  - Sind Sie gesprächig?
  - Sind Sie eine gute und aufmerksame Zuhörerin?
  - Sind Sie verträumt oder intellektuell?

- Sind Sie gewissenhaft und produktiv in Ihrem Job?
- Sind Sie sportbegeistert und bewegen sich gern im Freien?
- Legen Sie Wert auf Entspannung und Meditation?
- Sind Sie praktisch veranlagt, sparsam oder vorsichtig?
- Sind Sie wagemutig, geradeheraus, experimentierfreudig?
- Sind Sie spaßbetont oder begeisterungsfähig?
- Sind Sie fantasievoll und kreativ?
- Sind Sie witzig und geistreich?
- Sind Sie originell oder innovativ (was manchmal mit seltsam verwechselt wird)?
- Sind Sie in Beruf und Freizeit am liebsten allein?
- Ziehen Sie feste oder weniger feste Strukturen vor?
- Produktivität oder Vergnügen – was ist Ihnen lieber?

Fügen Sie der Liste in Ihrem Tagebuch weitere zutreffende Persönlichkeitsmerkmale hinzu.

- Welches sind Ihre Talente und Begabungen?
  - Sind Sie musikalisch? Spielen Sie ein Instrument oder singen Sie? Komponieren Sie selbst? Mögen Sie Musik oder eher nicht?
  - Sind Sie eine gute Rednerin oder können Sie schreiben? Haben Sie Talent, andere zu unterrichten?
  - Sind Sie künstlerisch veranlagt? Können Sie malen oder zeichnen? Machen Sie Skulpturen oder töpfern Sie? Tanzen oder schauspielern Sie, führen Sie Regie?

- Sind Sie intellektuell begabt? Sind Sie gut in Mathematik, räumlichem Denken, Computerspielen oder Programmieren? Lösen Sie gern Rätsel?
- Sind Sie handwerklich geschickt? Arbeiten Sie mit Holz, nähen oder tischlern Sie? Kennen Sie sich mit Mechanik aus?
- Mögen Sie sportliche Aktivitäten? Bevorzugen Sie Individual- oder Mannschaftssportarten? Sind Sie Trainerin oder Schiedsrichterin? Gehen Sie gern ins Stadion?
- Sind Sie eine gute Vermittlerin? Helfen Sie Menschen, einen Draht zueinander zu finden? Schätzen Sie Problemlösungen durch Brainstorming?
- Sind Sie ein mütterlicher Typ? Gehen Sie in der Betreuung von Kindern, Kranken, alten Menschen oder Freunden auf?
- Sind Sie gut darin, Dinge zügig zu erledigen? Arbeiten Sie effizient, hingebungsvoll, entschlossen? Verfolgen Sie Ihre Projekte bis zum Schluss?

Fügen Sie der Liste weitere Talente und Begabungen hinzu.

- Welches sind Ihre Wünsche?
  - Würden Sie gern für eine sauberere Umwelt sorgen?
  - Gibt es ein politisches Anliegen, das Sie interessiert?
  - Würden Sie sich gern künstlerisch oder musikalisch ausdrücken?
  - Möchten Sie reisen?
  - Möchten Sie einen Quilt anfertigen?
  - Träumen Sie davon, Shakespeare im Park aufzuführen oder einen Film zu machen?
  - Wären Sie gern finanziell erfolgreich?

- Möchten Sie einen Heilberuf lernen oder als Pflegerin arbeiten?
- Würden Sie sich gern um ein oder mehrere Kinder kümmern?
- Wollen Sie einen Garten anlegen?
- Fasziniert Sie eine bestimmte Religion oder spirituelle Richtung?
- Würden Sie gern lieben und geliebt werden?
- Möchten Sie ein Flugzeug fliegen?
- Wollen Sie sich im Tierschutz engagieren oder Menschenleben retten?
- Hätten Sie gern einen Universitätsabschluss?
- Möchten Sie ein Buch schreiben oder Kurse geben?

Nehmen Sie zusätzlich alle Wünsche mit auf, die Ihnen in den Sinn kommen (egal wie ausgefallen und abwegig diese Ihnen erscheinen mögen).

- Welche Dinge scheinen sich in Ihrem Leben ständig zu wiederholen?
  - Erzählen andere Ihnen ihre Lebensgeschichte (auch unaufgefordert)?
  - Kommen Sie immer wieder in Situationen, in denen Sie andere anleiten, unterweisen oder Gruppen anführen?
  - Zieht es Sie in Kirchen, Museen, Wälder, Buchläden, Schulen, Krankenhäuser, Theater, Fabriken oder auf Bauernhöfe?
  - Kommen Sie bei Ihrer Arbeit immer wieder mit Computern, Pflanzen, Pinseln, Pferden, Babies, großen Maschinen oder Mikroskopen in Berührung?

- Müssen Sie sich dauernd neue Jobs suchen, weil Ihre Karriere offenbar unter einem Selbstzerstörungstrieb leidet?
- Ertappen Sie sich wiederholt dabei, wie Sie darüber nachdenken, aidskranken Babies zu helfen, in der Wahlhelfergruppe mitzuarbeiten, ein Theaterstück oder einen Roman zu schreiben, nach Brasilien auszuwandern, Sex zu haben, sich für die Menschenrechte einzusetzen oder in einer Hütte im Wald zu leben?
- Haben Sie häufig das Gefühl, es gäbe etwas, das Sie tun „sollten", ohne zu wissen, was es ist?

Notieren Sie andere Gedanken und Situationen, die typisch für Sie sind.

- Übertragen Sie die folgenden Sätze in Ihr Tagebuch. An die freien Stellen schreiben Sie die Talente, Eigenschaften, Wünsche und Lebensumstände, die Sie zuvor notiert haben. Sie dürfen ruhig mehrere Dinge eintragen oder verschiedene Variationen der Sätze entwerfen. Experimentieren Sie so lange, bis Ihnen das Ergebnis richtig erscheint.

Ich ________________(Ihr Name) bin dazu bestimmt, ein ____________________(Eigenschaft) Mensch zu sein, der ____________________(Talent). Deshalb befinde ich mich oft ____________________(Lebensumstand), weil ich eigentlich ____________________(Wunsch).

Gewissenhaft und aufrichtig durchgeführt, kann diese Übung den Anfang Ihres neuen Lebens markieren. Deshalb sollten Sie sich unbedingt die Zeit nehmen, über den Sinn Ihres Lebens nachzudenken. Benutzen Sie Ihre

Fantasie, damit auch diejenigen Ihrer persönlichen Eigenschaften wachsen können, die Sie bislang vielleicht ignoriert oder unterbewertet haben. Dann können Sie offen auf alles zugehen, was Ihnen in Ihrem Leben widerfährt, und einen Sinn darin entdecken.

## Wie Sie Ihr Lebensziel richtig einschätzen

Woher wissen Sie, dass Ihr Lebensziel und der Sinn Ihres Lebens identisch sind? Es gibt drei Kriterien, anhand derer Sie dies herausfinden: Ergebnisse, Erfahrungen und Ethik. Die folgenden Richtlinien helfen Ihnen, die Effektivität und Angemessenheit Ihres Lebensziels richtig einzuschätzen.

1. ERGEBNISSE. Indem Sie mit der Nüchternheit eines Forschers primär auf Ergebnisse achten, finden Sie heraus, ob Sie „auf dem richtigen Weg“ sind. Um Ihre Ergebnisse einschätzen zu können, berücksichtigen Sie Faktoren wie Ihren Stresspegel, Ihre finanzielle Situation, Ihre Beziehungen, das Verhältnis zwischen Arbeitszeit und Freizeit, und die Frage, ob Sie bei der weiteren Verfolgung Ihres Ziels auf Schwierigkeiten stoßen werden oder eher auf ein reibungsloses Vorankommen hoffen können.

Selbst die edelsten Absichten schützen Sie manchmal nicht davor, dass Ihr Versuch, ein sinnvolles Leben zu führen, scheitert oder zu verwirrenden Ergebnissen führt. Bei einem negativen Ergebnis sollten Sie sich folgende Fragen stellen:

- Wie wichtig ist dieses Ergebnis? Oft fällt ein negatives Ergebnis in einer Reihe positiver Resultate nicht weiter ins Gewicht. Eine gewisse Anzahl negativer Resultate ist sogar normal. Jede erfolgreiche Frau kann Geschichten erzählen, in denen sie versagt hat oder abgewiesen wurde. Und wie diese Frauen können auch Sie es schaffen, mit Niederlagen umzugehen, indem Sie die Dinge neu überdenken, Ihre Fehler korrigieren und es noch einmal versuchen. Auf diese Weise lernen Sie aus Ihren Misserfolgen.

- Wie wirkt sich dieses Ergebnis auf mein eigentliches Vorhaben aus? Weicht es möglicherweise so grundlegend von meinen Erwartungen ab, dass ich mir dringend Klarheit verschaffen sollte, was ich in meinem Leben überhaupt tue? Oder kann ich diesen Misserfolg für neue Ideen nutzen, wie ich zukünftig effektiver auf mein Ziel zusteuere? Wie dem Forscher in seinem Labor können auch Ihnen negative Ergebnisse einen besseren Weg zu Ihrem Ziel weisen.

Neben konkreten, greifbaren Ergebnissen gibt es noch andere, weniger handfeste Indizien dafür, ob die Ziele, die Sie sich gesetzt haben, gut für Sie sind. Enttäuschung, Unzufriedenheit, Wut, Trauer und Angst bieten Hinweise darauf, wie befriedigend Ihr Leben tatsächlich ist. Das gilt ebenso für positive Empfindungen wie Glück, Erfüllung, Zufriedenheit und Begeisterung.

2. ERFAHRUNGEN. Das zweite Kriterium zur Einschätzung Ihres Lebensziels sind Ihre Erfahrungen. Noch während Sie Ihr Ziel verfolgen, wird sich sowohl Ihre ursprüngliche Vorstellung dessen, was Sie wollen, als auch der finale Ausdruck ändern. Anfangs ist Ihr Ziel ein Traum, eine Vision, die Sie sich lediglich vorstellen können. Und wie alle Träume muss auch

dieser während seiner Realisierung einige Anpassungsprozesse durchlaufen.

**Lauries** Traum, ihr medizinisches Wissen bei der Betreuung Todkranker einzusetzen, brauchte lange Zeit bis zu seiner Verwirklichung. Zunächst hatte sie davon geträumt, ihr eigenes Hospiz zu gründen, doch dann sah sie ein, dass die damit verbundenen Verwaltungsarbeiten alles andere als ein Traum für sie waren. Sie beschloss, sich um eine Anstellung in einem Krankenhaus mit angegliedertem Hospiz zu bemühen.

Mit jedem kleinen Stück, das Sie sich Ihrem Lebensziel nähern, verändert sich dieses ein wenig. Betrachten Sie diese Veränderungen als das, was sie sind: notwendige Anpassungen. Nur wenn Sie Ihr Ziel so eng vorformuliert haben, dass Sie keinerlei Anpassungen akzeptieren können, um es realistischer oder durchsetzbarer zu machen, müssen Sie sich Gedanken machen, inwieweit es sich um das richtige Lebensziel für Sie handelt.

3. ETHIK. Zweifellos ist auch Ihr Lebensziel daran gebunden, dass Sie bestimmten ethischen Grundsätzen folgen. Nun können gesellschaftlich vorbestimmte Moralbegriffe niemals deckungsgleich mit den Werten sein, die Sie gutheißen und die Ihrer Persönlichkeit entsprechen. Daher sollten Sie vor allem danach streben, Ihren eigenen inneren Werten gemäß zu leben. Der Psychologe Dr. Nathaniel Branden bezeichnet es in seinem Buch „Honoring the Self“ als „das eigene Gewissen wahren“. Gemäß Branden „leben wir nicht in unkritischer Konformität und dem zeitweiligen Verzicht auf unabhängige Urteilsfindung. Wir übernehmen Verantwortung für die Ideen, die wir akzep-

tieren, und die Werte, die wir unseren Handlungen zugrunde legen."

Ethische Grundsätze sind bewusst gewählte Standards, die Ihr Leben lebenswert machen und Ihnen helfen, Ihre Selbstachtung zu wahren. Dafür ist es unabdingbar, dass Sie Ihr Leben und Handeln klar einzuschätzen vermögen und kritisch denken, anstatt blind zu gehorchen. Ihre ethischen Grundsätze lassen Sie inakzeptables Verhalten erkennen und geben Ihnen die Kraft, ihm zu widerstehen – unabhängig davon, wie sehr andere Menschen ein solches Verhalten als legitim darstellen.

Wenn Sie sich Ihrer Werte bewusst sind, können Sie sich von Ihrem eigenen Urteil leiten lassen. Selbstverständlich ist das Gespräch mit guten Freunden sinnvoll, um Ihre Ziele und Ihren Sinn einmal aus einem anderen Blickwinkel zu betrachten; doch das endgültige Urteil darüber, ob Ihr Handeln und Ihr Streben gut und richtig sind, liegt ganz allein bei Ihnen.

## Vervollkommnen Sie Ihre Perspektive – Betrachten Sie Ihr Leben aus einem anderen Blickwinkel

Diese Übung ist bei vielen meiner weiblichen Klienten unangefochtener Spitzenreiter. Sie ist ein perfektes Hilfsmittel, wenn es darum geht, das eigene Leben und die eigenen Entscheidungen einmal von einer anderen Warte aus zu betrachten. Ich habe dieselbe Übung zwar schon in dem Buch über die wichtigsten Entscheidungen für die Frau unter vierzig beschrieben, aber ich halte sie für so hilfreich für Frauen jeden Alters, dass ich sie für dieses Buch noch einmal aktualisiert habe. Da die Entscheidungen, die Sie heute treffen, den Rest Ihres Lebens beeinflussen werden, sollte jede davon reiflich überlegt sein.

## Die weise Frau

In dieser begleiteten Übung entwickeln Sie eine sinnvolle Perspektive für Ihre Zukunft und erschaffen sich eine „Ratgeberin", die Ihnen bei Ihren Entscheidungen zur Seite steht. Bitten Sie eine Freundin, Ihnen den nachfolgenden Text vorzulesen, oder sprechen Sie ihn auf Band. Der Text sollte sehr langsam und sehr ruhig gelesen werden.

Entspannen Sie sich, atmen Sie ruhig und regelmäßig, machen Sie es sich in Ihrem Liebelingsessel bequem, und stellen Sie sich eine Frau vor, die in den Siebzigern oder älter ist. Diese Frau ist die Sorte alte Dame, die Sie bewundern und der Sie einmal ähnlich sein möchten. Sie ist finanziell abgesichert, gesund, von lieben Menschen umgeben, hat nette Freunde und eine fürsorgliche Familie ... Sie geht ihren Interessen nach und ist sehr agil ... Machen Sie sich mit dieser Frau bekannt ... diese Frau heißt genauso wie Sie – sie ist Sie, später ... Treffen Sie eine Vereinbarung mit ihr, sie in allen wichtigen Entscheidungen zu konsultieren, um eines Tages diesem Idealbild Ihrer Zukunft zu entsprechen. Unterhalten Sie sich mit ihr, so lange Sie möchten, und fragen Sie sie nach ihrem Geheimnis für so viel Agilität und Lebensfreude im Alter.

Von nun an besuchen Sie Ihre „weise Frau" regelmäßig und besprechen mit ihr alles, was Ihnen wichtig ist. Sie können sie beispielsweise fragen, was sie von Ihrem Lebensziel hält. Werden Sie in ihrem Alter zurückblicken und zu dem Schluss kommen, dass es sich gelohnt hat, für

Ihr Ziel zu kämpfen? Glaubt Ihre weise Frau, dass das, wofür Sie sich heute entscheiden, morgen noch richtig für Sie sein wird? Wie unterscheidet sich das, was Sie für wichtig halten, von dem, was Ihrer weisen Frau wichtig ist?

## Den Sinn von Verlusten entdecken

Die Erfahrungen Ihres Lebens, besonders die schmerzlichen, haben Sie kostbare Lektionen gelehrt. Wenn Sie Ihre Erfahrungen dazu nutzen, anderen zu helfen, bekommt selbst der tiefste Schmerz einen Sinn.

Viele Glaubensrichtungen beschäftigen sich mit dem Nebeneinander von Gut und Böse in unserem Leben. Der Buddhismus beispielsweise geht davon aus, dass pflanzliche und tierische Gifte bei richtiger Handhabung in Heilmittel umgewandelt werden können. Ebenso hält jede Prüfung, die Sie in Ihrem Leben bestehen müssen, eine Lehre für Sie bereit und wird somit zu einer Quelle neuen Wissens. Ihre „weise Frau" wird Ihnen das bestätigen.

Wahrscheinlich hat es in Ihrem bisherigen Leben bereits einige Verluste gegeben. Sie haben ältere Verwandte verloren, Ihre Großeltern vielleicht oder Ihre Eltern, mussten eventuell den Tod einer lieben Freundin, eines Partners oder eines Geschwisters verkraften. In besonders tragischen Fällen mussten Sie bereits ein Kind zu Grabe tragen. Dennoch ist Trauer ein überaus lehrreicher Prozess. Während Sie die von der bekannten Psychiaterin Dr. Elisabeth Kübler-Ross definierten „Stadien der Trauer" durchmachen – Verleugnung, Wut, Verhandeln, Depression und Akzeptanz –, erfahren Sie, dass Sie in der Lage sind, selbst schrecklichste Verluste zu überleben.

Obwohl für **Laurie** der Tod ihrer Mutter ungeheuer schmerzlich war, hat sie in der Betreuung von Hospizpatienten einen Weg gefunden, diese Erfahrung zu nutzen. Aufgrund der Tiefe ihrer eigenen Erfahrung kann sie andere in deren Trauer verstehen und stützen.

Wie Laurie wissen vermutlich auch Sie, dass Trauer kein linearer Prozess ist – sie kommt und geht. Anfangs sehr intensiv, schmerzt sie mit der Zeit weniger akut – vorausgesetzt, Sie lernen, sie zuzulassen und zu verbalisieren. Sie merken, dass bestimmte Gesten und Worte von Freunden oder Verwandten Ihnen gut tun, während andere Ihren Schmerz verstärken. Sie erkennen den Unterschied zwischen Selbstmitleid und Traurigkeit. Und Sie erfahren, wie es sich anfühlt, von einem Moment zum anderen blind vor Schmerz zu sein, weil irgendetwas – ein Geruch, ein Satz, ein Gegenstand oder ein Bild – Sie plötzlich an die verstorbene Person erinnert. Richtig trauern zu können gehört zu den Fähigkeiten, die wir in unserem Leben erwerben müssen, denn wir alle werden mit zunehmendem Alter mehr und mehr liebe Menschen verlieren. Einzig unsere Fähigkeit, richtig trauern zu können, wird uns dann helfen können, diese Erfahrungen zu überstehen und einen Sinn im Verlust zu finden.

Darüber hinaus machen uns unsere Erfahrungen zu einem wertvollen Halt für unsere Familie und unsere Freunde. Vielleicht möchten Sie, wie Laurie, Ihr Wissen einsetzen, um anderen Menschen zu helfen – zum Beispiel in einem Hospiz oder einer Selbsthilfegruppe.

Sowohl Ihre positiven als auch Ihre schmerzlichen Lebenserfahrungen sind wichtige Lektionen, aus denen Sie lernen können. Aus ihnen gewinnen Sie die Werte, die Ihre moralische Integrität sichern und Ihr Leben bereichern.

## Die Bedeutung der eigenen Werte erkennen

Je länger Sie leben, und je mehr Erfahrungen Sie machen, umso besser erkennen Sie, welche Dinge Ihrem Dasein mehr Sinn verleihen. Wenn Sie einen festen Glauben oder eine bestimmte Lebensphilosophie haben, finden Sie hierin eine solide Grundlage für die meisten Entscheidungen, die Sie treffen. Studien haben ergeben, dass Menschen, die Teil einer Glaubensgemeinschaft sind, glücklicher, gesünder und zufriedener mit ihrem Leben sind als andere. „Wir sind Geschöpfe, die die Gemeinschaft suchen", schreibt Dr. Dean Ornish in seinem Buch „Die revolutionäre Therapie: Heilen mit Liebe". Seine Erklärung lautet wie folgt:

> Diejenigen Individuen, Gesellschaften und Kulturen, die während der vergangenen Jahrtausende gelernt haben, wie man sich umeinander kümmert, einander liebt und Beziehungen untereinander pflegt, haben sich durchwegs als überlebensfähiger erwiesen als solche, die dies nicht gelernt haben ... Kurz, alles was das Gefühl des Isoliertseins hervorruft, befördert Krankheit und Leiden; alles was das Gefühl von Liebe und Nähe, von Bindung und Gemeinschaft hervorruft, wirkt heilend.

Es ist nicht immer einfach, sein Leben nach den eigenen Werten auszurichten, weil die moderne Gesellschaft zumeist dazu ermuntert, Status, Äußerlichkeiten und die Anhäufung von Geld und Konsumgütern höher zu bewerten als ethische Grundsätze und Werte. Dennoch ist es der Einfluss einer starken Gemeinschaft wie der

Familie, des Freundeskreises, der Gemeinde oder auch einer Therapiegruppe, der eine potente und treibende Kraft im Leben des Individuums ausmacht. Die Menschen, die Ihnen nahe sind, helfen Ihnen, all die hohlen Werte der Konsumgesellschaft ihrer Fadenscheinigkeit zu überführen und stattdessen jenen Werten treu zu bleiben, die Ihnen wirklich etwas bedeuten.

## Philosophische oder religiöse Werte

Wenn Sie den Eindruck haben, dass Sie sich mit den Jahren immer weiter von dem fortbewegt haben, was Ihnen wichtig ist, dann ist jetzt der passende Moment für eine Rückbesinnung auf Ihre eigentlichen Werte gekommen. Eine Religionsgemeinschaft oder eine bestimmte Lebensphilosophie kann sinnstiftend auf alles wirken, was Sie tun. Und nicht nur das: Ein klares Wertesystem hilft Ihnen bei all Ihren Entscheidungen.

Für **Rose** erwies sich ihre Mitarbeit in einem Selbsthilfeprogramm für Alkoholikerkinder als sehr hilfreich. Hier lernte sie, ihre persönlichen Werte zu definieren. Als Kind war sie oft hoffnungslos verwirrt, weil sie in einer Atmosphäre aufwuchs, in der die Erwachsenen häufig außer Kontrolle waren. Sie musste begreifen lernen, wie „normales" Erwachsenenverhalten aussah. Anfangs machte sie artig alle Übungen mit, die ihr in der Gruppe beigebracht wurden, doch mit der Zeit gewann sie an Sicherheit und konnte ihre eigenen Verhaltensrichtlinien entwickeln. Während sie aus Erfahrung lernte und neues Wissen erlangte, wuchs aus diesen Verhaltensrichtlinien ein Wertesystem. Bald schon war sie nicht mehr darauf angewiesen, dem vorgegebenen Programm stur zu folgen. Sie begriff nach und nach, was ihrem Leben Bedeutung verlieh, es gut und lohnenswert für sie machte. Rose hat heute Werte gefunden, die für sie funktionieren und in ihr den Wunsch weckten, selbst eine beratende Tätigkeit aufzunehmen und anderen Menschen zu helfen. Sie kommt nicht mehr in Versuchung, wenn ein Mitglied ihrer Familie sie zu einem gemeinsamen Besäufnis „einlädt" oder wenn sich jemand mit ihr streiten oder über andere herziehen will, weil sie weiß, dass dieses Verhalten nichts zu dem beiträgt, was sie sich von ihrem Leben erwartet.

Sie können, wie Rose, Ihr Leben auf eine Dynamik der Veränderung aufbauen oder Sie entscheiden sich für eine der traditionellen Religionsgemeinschaften. Viele Erwachsene entdecken irgendwann den Glauben neu, in dem sie erzogen wurden. Andere finden zu einer neuen Glaubensrichtung, die ihrer Persönlichkeit eher entspricht und ihnen mehr gibt. Wie dem auch sei: Teil einer Religionsgemeinschaft zu sein ist der Rahmen, in dem viele Menschen ihrer Spiritualität Ausdruck verleihen. Vielleicht überkommt auch Sie das Bedürfnis, wieder einmal in die Kirche zu gehen, die Sie während Ihrer Kindheit besuchten, oder aber alternative Religionen für sich zu erkunden. Eventuell lassen sich Ihre Wertvorstellungen auch gar nicht mit den gängigen Religionen vereinbaren, weshalb Sie sich nach etwas vollkommen anderem umsehen – beispielsweise Sufismus oder Taoismus, Wicca oder Transzendentale Meditation.

Achten Sie darauf, dass die Religion oder religiöse Bewegung, die Sie für sich wählen, in ihren jeweiligen Ritualen Ihren inneren Werten und Bedürfnissen entspricht. Wenn das der Fall ist, integrieren Sie Ihre Gebete oder Meditationen in Ihren Alltag, um sich selbst immer wieder auf das zu besinnen, das Ihnen wirklich etwas bedeutet. Manche Frauen gewinnen viel aus dem Studium der Thora oder christlicher Schriften, beschäftigen sich mit Tarot oder I-Ching oder besuchen spirituelle Kurse. Es ist letztlich egal, wofür Sie sich entscheiden, solange die von Ihnen gewählte Ideologie Ihren Alltag und seine Aufgaben mit Sinn anreichert.

**Laurie** findet tagtäglich Bedeutung und Sinn in ihrer Arbeit im Hospiz. Sie hilft ihren Patienten, ihre Behandlungsform mitzubestimmen, erklärt ihnen, welche Möglichkeiten der Schmerzlinderung es gibt, und nimmt Teil an ihren Erfahrungen mit der tödlichen Krankheit. Obgleich viele ihrer Bekannten ihre Arbeit als traurig und deprimierend einstufen, bezieht Laurie selbst viel Freude und Genugtuung aus dem Gefühl, Menschen zu helfen, die die Gesellschaft längst aufgegeben hat. „Ich bin eigentlich nicht religiös, nicht im herkömmlichen Sinne – ich arbeite die meisten Sonntage und gehe nicht in die Kirche“, erklärt Laurie, „aber ich bin jeden Tag meines Lebens von Dankbarkeit erfüllt, weil ich die Fähigkeit besitze, denen zu dienen, die meine Hilfe am allernötigsten haben, und diese Fähigkeit, glaube ich, kommt von Gott.“

## Künstlerische Werte

Vielleicht liegen Ihr Sinn und Ihre Werte eher in der Kunst als im Religiösen, oder Sie bringen Ihre Religiosität künstlerisch zum Ausdruck. Tanz, Malerei, Kunsthandwerk, Musik und andere künstlerische Ausdrucksformen können durchaus eine meditative Funktion erfüllen. Schönes zu schaffen, Gefühle auszudrücken oder mit künstlerischen Mitteln auf soziale Mißstände aufmerksam zu machen – all das sind unschätzbare Methoden, einen Beitrag zum Leben und zur Gesellschaft zu leisten.

Kunst kann religiöse oder spirituelle Werte vermitteln. Wenn sie Ihnen etwas bedeutet, gibt sie Ihnen Kraft und ein Ziel. Außerdem kann es einen heilsamen, beinahe therapeutischen Effekt haben, anderen Menschen Kunst nahe zu bringen.

**Karen** ist eine ambitionierte Jazzsängerin, doch sie genießt es auch, mit ihrem Kirchenchor in Pflegeheimen oder bei Wohltätigkeitsveranstaltungen zu singen, und es macht ihr große Freude, Kindern Musikunterricht zu geben.

Wenn Sie alles, was Sie tun, mit Ihrer künstlerischen Kraft anreichern – von der einfachsten Aufgabe bis hin zur Verfechtung Ihrer politischen Anliegen – dann gelingt Ihnen das, was Thomas Moore als „Seelenpflege" bezeichnete:

> Wollen wir unsere Seele nähren und wissen dabei, dass sie von der Schönheit lebt, werden wir dadurch zu einem höheren Begriff der Schönheit finden und ihr in unserem Leben einen besseren Platz einräumen ... Die Würdigung der Schönheit ist letzthin nichts anderes als Offenheit für die Kraft der Dinge, die unsere Seele rühren. Wenn wir für Schönheit zugänglich sind, ist unsere Seele lebendig, denn ihr wirkliches Talent besteht darin, Rührung zu empfinden ... Oft verkennen wir, dass es ein Zeichen von Stärke ist, Rührung zu empfinden, wie das Anspannen eines kräftigen Muskels ... Dabei leistet die Seele hier ihre größte Anstrengung und erfüllt ihre wichtigste Rolle in unserem Leben.

Wir alle kennen das Gefühl, das Moore meint. Es sind Momente wie ein schöner Sonnenuntergang, der Anblick einer majestätisch schönen Landschaft oder eines Kunstwerkes, wenn all unsere Aufmerksamkeit in der Schönheit aufgeht und uns der Atem stockt. Schönheit zu würdigen und Schönheit zu erzeugen lässt uns den Sinn unseres Lebens zutiefst empfinden.

## Soziale Werte

Wenn weder Religion noch Kunst Sie interessieren, sind bei Ihnen vielleicht soziale oder politische Werte dominant. Ihr Einsatz für eine saubere Umwelt, für Menschenrechte, für ein besseres Miteinander in der Gemeinde oder der Nachbarschaft verleiht Ihrem Leben Sinn. Als freiwillige Helferin können Sie in einer Suppenküche für Obdachlose oder in einem Krankenhaus arbeiten, Vorträge vor Schulkindern halten, um deren Umweltbewusstsein zu schärfen, alte oder bettlägerige Menschen besuchen. Vielleicht möchten Sie sich auch einer Gruppe anschließen, die Ihre politischen oder kulturellen Interessen vertritt, beispielsweise einer Partei, einer Umweltorganisation oder einem Wohltätigkeitsverein. Oder Sie können sich vorstellen, in einer Selbsthilfegruppe aktiv mitzuarbeiten, oder als Volontärin für eine Stiftung tätig zu werden, die Kunst, Theater oder Museen fördert. Wenn Ihnen ein bestimmtes soziales Thema besonders am Herzen liegt, finden Sie bestimmt Gleichgesinnte, die Ihr Interesse teilen. Außerdem bietet diese Form des Engagements eine hervorragende Gelegenheit, neue Freunde zu finden, denn Sie und Ihre Mitstreiter haben viel gemeinsam.

**Rose** und einige andere Mitglieder ihrer Selbsthilfegruppe begannen irgendwann, Vorträge an Schulen oder vor Vereinen zu halten, um über die Probleme von Kindern alkoholkranker Menschen zu informieren. Die

Idee entstand aus ihrem Eindruck, die Leute wüssten zu wenig über diese Problematik. Rose bedeutete es sehr viel, aufgrund ihrer leidvollen Erfahrungen in der Lage zu sein, anderen zu helfen. Und sie hat eine Menge über freies Reden gelernt, was ihr in ihrer Beratertätigkeit zugute kommt. Darüber hinaus hat sie einige sehr gute Freunde unter den Mitgliedern ihrer Gruppe gefunden.

Viele Frauen finden Bedeutung in ihrem Leben, indem sie sich für soziale Werte einsetzen.

## Spirituelle Gemeinschaften

In schwierigen Lebensphasen können Sie neue Kraft aus einer Philosophie schöpfen, die Ihnen Wege aufzeigt, Ihre Situation zu begreifen und trotz aller Probleme nicht zu verzagen. In solchen Zeiten brauchen Sie eine Gemeinschaft, die Ihre Glaubensüberzeugungen teilt und auf die Sie zählen können, wenn Sie Hilfe, Trost, Unterstützung und Rat benötigen.

Neben dem Netzwerk einer liebenden Familie und guter Freunde kann Ihnen eine Gemeinschaft von Menschen, die sich denselben Ideen und Werten verschrieben haben, die Sie als den Sinn Ihres Lebens ansehen, unermesslich viel Geborgenheit geben. Wenn ich von einer „spirituellen Gemeinschaft“ spreche, muss diese nicht unbedingt mit Religion zu tun haben. Jede der Gruppen, die ich in diesem Kapitel genannt habe, kann eine spirituelle Gemeinschaft für Sie bilden.

Falls Sie in einer der institutionalisierten Religionen finden, was für Sie den Sinn des Lebens ausmacht, kann Ihnen die Arbeit in einer Kirche, einer Synagoge oder einem Tempel jene Verbundenheit geben, die Sie sich wünschen und innerhalb derer Sie nach Ihren Werten leben können.

Die Gemeinschaft mit Menschen, die Ihre Werte, Anliegen und Glaubensvorstellungen teilen, wird Ihnen helfen, Ihr Lebensziel im Auge zu behalten, wird mit Ihnen Ihre Erfolge feiern und in schweren Zeiten eine Quelle neuer Energie und Zuversicht sein. Und zusammen mit einer spirituellen Gemeinschaft erreichte Erfolge verschaffen langlebigere Befriedigung als eine Gehaltserhöhung oder das davon gekaufte Luxusgut.

Künstlerische, soziale und spirituelle Werte können sowohl individuell als auch im Kollektiv ausgedrückt werden. Vielleicht entscheiden Sie sich, Ihre Glaubensansichten über Ihre Kunst zu vermitteln oder sich im sozialen Bereich zu engagieren. Unabhängig davon, welchen Weg Sie für sich wählen – wenn Sie Ihr Leben nach einem höheren Ziel ausrichten und ihm so einen tieferen Sinn geben, werden die alltäglichsten Arbeiten und Dinge für Sie an Bedeutung gewinnen und Sie zufriedener machen.

Kapitel X

# Geteilter Gewinn ist doppelter Gewinn: Wie Sie etwas von dem zurückgeben, das Sie bekommen haben

Leben erzeugt Leben. Energie schafft Energie. Indem man sich verausgabt, wird man reich.

*Sarah Bernhardt*

Zufriedenheit und Erfolg schöpfen wir nicht allein aus dem, was wir tun, sondern auch aus dem Beitrag, den wir leisten. Wenn Sie auf Ihr bisheriges Leben zurückblicken, sind Ihre schönsten Erinnerungen wahrscheinlich Momente, in denen Sie anderen Gutes getan, Ihren Freunden, Ihrer Familie, Ihren Kindern, Schülern, Kollegen oder der Gesellschaft etwas gegeben haben.

Einige der berühmtesten und mächtigsten Leute haben erkannt, welchen Wert es hat, anderen etwas von sich zu geben. „Das Forum, das mir gegeben wurde, dient für mich nicht dazu, Aufmerksamkeit auf mich zu lenken oder Profite zu machen“, schreibt Oprah Winfrey auf der Webseite www.zukav.com. Weiter steht dort:

> Was ist der Sinn all dieser Aufmerksamkeit, wenn sie nicht zu einem höheren Zweck genutzt wird? Ich habe eine Abmachung mit dem Universum, dass ich meine Möglichkeiten bestmöglich nutzen werde. Ich werde nicht einfach darum bemüht sein, meinen Spaß zu haben. Das käme für mich gar nicht in Frage. Hier geht es um viel Bedeutenderes ... Ich denke über den Wohlstand nach, den ich erreicht habe, und über meine Pflicht, diesen Wohlstand nun auf eine Weise mit der Welt zu teilen, die den Menschen Ehre macht und ihnen ein tieferes Bewusstsein ihres Wertes verleiht. Meine eigentliche Arbeit besteht darin, diese Aufgabe so gut zu erfüllen, wie ich irgend kann.

Als Frau besteht Ihre traditionell vorgegebene Rolle darin, für andere zu sorgen. Obwohl viele von uns gern Zuneigung geben und sich um andere kümmern, empfinden wir dies häufig als Pflicht und verlieren darüber die Freude daran, anderen zu helfen. Sobald Sie freiwillig, unaufgefordert und ohne Hintergedanken geben, werden Sie den Akt des Gebens viel stärker genießen.

Während ihrer Suche nach dem Sinn hat sich **Karen** stärker in ihrer Kirchengemeinde engagiert. An einem Sonntag im Monat übernehmen die Gemeindemitglieder den Dienst in einer Suppenküche für Obdachlose. Nach anfänglichem Sträuben macht Karen diese Aufgabe heute gern. An den betreffenden Sonntagen bereitet sie sogar selbst Sandwiches zu, die sie zusätzlich dort verteilt.

„Anfangs war mir einfach mulmig bei der Vorstellung, die Armut, in der ich selbst aufwuchs, wieder aus der Nähe zu sehen. Aber jetzt macht es mich sehr glücklich, diesen Menschen helfen zu können", sagt sie. „Selbst wenn ich ihnen nur eine Mahlzeit im Monat geben kann, scheint mir das doch ein wichtiger Beitrag für sie und für mich zu sein."

## Setzen Sie Ihre Talente sinnvoll ein

Ihr neues, zufriedeneres Leben beginnt damit, dass Sie den Wert Ihres Könnens und Ihrer Lebenserfahrung schätzen lernen. Sie haben Fähigkeiten und Wissen erworben, die Sie mit zwanzig noch nicht besaßen. Möglicherweise denken Sie, Ihre Fähigkeiten beschränkten sich in erster Linie auf Ihren Beruf, doch vieles davon ist Ihr persönliches Verdienst, wenn es sich um den Nutzen handelt, den Sie aus Ihren Erfahrungen ziehen.

Wie Ihnen bei der Lektüre wahrscheinlich nicht entgangen ist, möchte ich vor allem erreichen, dass Sie diese Fähigkeiten erkennen und nutzen! Ihre emotionalen, intellektuellen, sozialen und organisatorischen Talente sind ebenso wertvoll wie im Beruf, im Sport oder wo auch immer erfolgreich zu sein. Sie besitzen ein wunderbares Talent, wenn Sie die Menschen um sich herum zum Lachen bringen können. Und Sie verfügen, wie im vorigen Kapitel dargelegt, über eine unschätzbare Gabe, wenn Sie sich selbst und anderen in Zeiten der Trauer beistehen können.

In den Übungen, die Sie gemacht und in Ihrem Tagebuch dokumentiert haben, finden Sie zahlreiche Hinweise darauf, wo Ihre wirklichen Stärken und Talente liegen. Sehen Sie sich Ihre Aufzeichnungen noch einmal an, um zu erkennen, was Sie anderen zu geben haben und was Sie bereits geben. Im letzten Kapitel haben Sie herausgefunden, wie Sie Ihrem Leben mehr Sinn verleihen. In diesem Kapitel werden Sie lernen, Ihr Leben mit noch mehr Bedeutung zu füllen, indem Sie etwas von dem zurückgeben, was Sie bekommen und erreicht haben.

## Geben und Nehmen: Die Essenz der Gruppendynamik

Die augenfälligste positive Wirkung des Gebens besteht wohl darin, dass die Empfänger zumeist das Bedürfnis verspüren, ihrerseits etwas zurückzugeben. Falls Ihre bisherigen Erfahrungen dem widersprechen – Sie bisher zu viel gegeben und zu wenig bekommen haben – sollten Sie ein neues Muster in Ihr Leben einführen, indem Sie lernen, als Empfängerin genauso gut zu sein wie als Geberin. Bringen Sie Geben und Nehmen ins Gleichgewicht, um nicht nur Ihre bestehenden Beziehungen innerhalb der Familie und des Freundeskreises zu verbessern, sondern künftig von Anfang an bessere, ausgeglichenere Beziehungen zu führen.

In dieser Phase Ihres Lebens haben Sie erkannt, wie wichtig der Austausch mit anderen ist. Ein breit gefächertes soziales Netzwerk kann in vielerlei Hinsicht hilfreich sein. Es beinhaltet einen festen Freundeskreis, der Sie vor Einsamkeit bewahrt, und Kontakte, die Sie beruflich und persönlich weiterbringen. Je größer dieses Netzwerk ist, umso besser stehen Ihre Chancen, dass aus bestehenden Kontakten neue Freundschaften werden. Und innerhalb

Ihres Netzwerks sind Sie von Menschen umgeben, die Ihre Lebenserfahrungen verstehen und Sie bei Bedarf unterstützen.

Die Kooperation mit anderen bringt Vorteile, die unser Leben leichter und schöner machen. Dabei kommt es vor allem darauf an, dass innerhalb eines sozialen Netzwerks jeder Einzelne sowohl Geber als auch Nehmer ist. Dies ist das grundlegende Prinzip, nach dem Familien und Gruppen funktionieren. Gruppen, die eine Ungleichgewichtung von Geben und Nehmen aufweisen, werden als dysfunktional bezeichnet. In funktionierenden Gruppen ist jedes Mitglied gleichermaßen integriert. Wenn Sie einer solchen Gruppe angehören, wird Ihnen alles, was Sie geben, auf die eine oder andere Weise zurückgegeben. Die folgenden Anregungen sollen Ihre Kreativität anregen, neue Wege aufzutun, wie Sie geben und gleichzeitig nehmen können.

## Zurückgeben, was sie empfangen haben

Etwas von dem zurückzugeben, was man empfangen hat, muss keine direkte Retourkutsche sein. Sicherlich ist es Ihnen schon passiert, dass Sie Menschen etwas zurückgeben wollten, die Ihnen geholfen haben, diese aber nicht mehr da waren oder nicht brauchten, was Sie ihnen zu geben hatten. Weit sinnvoller und befriedigender ist es da, die Hilfe, die Sie erhalten haben, an andere weiterzugeben, die diese besonders nötig haben. Finden Sie heraus, wo Ihre Talente und Fähigkeiten am dringendsten gebraucht werden oder am willkommensten sind. Möglichkeiten bieten sich überall – oft in Ihrer unmittelbaren Umgebung, manchmal auch in größerer Entfernung.

## Geben in der umittelbaren Umgebung

Sehen Sie sich in Ihrer unmittelbaren Umgebung nach Möglichkeiten des Gebens um.

### Innerhalb der Familie helfen

Wohltätigkeit beginnt zu Hause, weil es innerhalb Ihrer Familie zahlreiche Möglichkeiten zu helfen gibt. Falls Sie viel Zeit und Energie auf Ihre Ausbildung und Karriere verwendet haben, wurde Ihnen seitens Ihrer Familie sicher eine Menge Hilfe und Unterstützung zuteil. Vermutlich haben Ihre Eltern Sie nicht nur finanziell unterstützt, Ihre Kinder und Ihr Partner Ihnen Mut gemacht und Sie entlastet, oder Ihre Geschwister haben Ihnen beigestanden und für Sie auf Ihre Kinder aufgepasst. In solchen Fällen ist es relativ einfach, etwas zurückzugeben. Sie könnten beispielsweise Ihren Kindern, Nichten oder Neffen bei Schwierigkeiten in der Schule helfen oder ihnen während des Studiums finanzielle Hilfe zukommen lassen, mehr Zeit mit Ihren Eltern verbringen oder Ihren Geschwistern zur Seite stehen, wenn diese Sie brauchen. In Krankheitsfällen oder finanziellen Krisen können Sie eine helfende Hand ausstrecken.

Auch gemeinsame schöne Erlebnisse, Familienfeiern, alte und neue Traditionen können zu wertvollen Erinnerungen werden, die uns und andere ein Leben lang begleiten. Wenn Ihnen Ihre Familie wichtig und teuer ist, lassen Sie es sie wissen. Sollten Sie bislang keine engen

Kontakte untereinander gepflegt haben, könnten Sie beispielsweise ein großes Familienfest veranstalten, um Ihren Verwandten zu zeigen, dass Sie sie schätzen und Ihnen dankbar sind für alles, was sie Ihnen gegeben haben. Vielleicht intensivieren Sie zunächst nur die Bindung zu einzelnen Familienmitgliedern, in dem Vertrauen, dass das nur der Anfang ist.

Traurigerweise reagieren nicht alle Familien positiv auf solche Gesten. Sollte Ihre Familie uneins sein, konzentrieren Sie sich auf diejenigen, die Ihr Wohlmeinen zu schätzen wissen und Ihre Freundlichkeit annehmen. Lassen Sie sich nicht in Streitereien verwickeln. Falls Ihre Familie zu klein, zu weit weg oder Ihnen über die Jahre zu fremd geworden ist, suchen Sie sich andere Menschen, denen Sie etwas zu geben haben.

**Lauries** Familie stand während ihrer Ausbildung zur Ärztin geschlossen hinter ihr. Doch ihre Entscheidung, zukünftig in einem Hospiz arbeiten zu wollen, wurde von einigen Familienmitgliedern heftig kritisiert. Laurie wandte sich daraufhin vermehrt denjenigen Verwandten zu, die ihren Entschluss unterstützten. Heute revanchiert sie sich für ihre Rückendeckung, indem sie der jüngeren Generation ihrer Familie bei Schulproblemen hilft.

## Freunden helfen

Gewiss bietet sich in Ihrem Leben auch eine Gelegenheit, Ihren Freunden etwas von dem zurückzugeben, was Sie empfangen haben. Seien Sie für sie da, wenn sie Sie brauchen, stehen Sie ihnen bei, wenn sie krank sind oder trauern, oder hören Sie ihnen einfach zu – gerade das ist oft besonders wertvoll. Findet sich in Ihrem Freundeskreis jemand, der außer Ihnen kaum Kontakte hat, helfen

Sie dieser Person, andere Menschen kennen zu lernen. Laden Sie allein stehende Freundinnen oder Freunde zu Familienfeiern ein. Als gute Freundin können Sie in schweren Zeiten Trost spenden und in guten Zeiten gemeinsam die Erfolge Ihrer Freunde feiern. Alles, was Sie Ihren Freunden geben, werden Sie mehrfach zurückbekommen.

Die Freunde, die **Julie** in der Selbsthilfegruppe für Menschen mit pflegebedürftigen Angehörigen fand, haben sich immer wieder als eine wahre Rettung für sie erwiesen. Julie tut es gut, auf ihre Hilfe zählen zu können, und umgekehrt genießt sie es, ihnen helfen zu können.

## Nachbarn helfen

Auch wenn der Kontakt zu Ihren Nachbarn nicht eng genug ist, um sie als Freunde zu bezeichnen, fühlen Sie sich in Ihrer Nachbarschaft wohler und sicherer, wenn Sie diese Kontakte fördern, indem Sie hin und wieder etwas für Ihre Nachbarn tun. Lernen Sie die Menschen in den Wohnungen oder Häusern um Sie herum kennen. Nachbarn, die einander kennen, bemerken schneller, wenn etwas nicht stimmt, und sind im Notfall eher bereit, Hilfe zu rufen. Bieten Sie anderen an, nach ihrer Wohnung oder ihrem Haus zu sehen, während sie verreist sind, oder bringen Sie kranken Nachbarn etwas mit, wenn Sie einkaufen gehen.

**Karens** Nachbarschaft ist zu einem eingespielten Team zusammengewachsen. Sie helfen einander bei der Kinderbetreuung, veranstalten Straßenfeste, fühlen sich verantwortlich füreinander. Karen ist froh über den guten Kontakt zu ihren Nachbarn, der ihr Sicherheit gibt.

## Kollegen helfen

Ihr Arbeitsplatz bietet Ihnen eine Vielzahl an Möglichkeiten, anderen etwas von sich zu geben. Nutzen Sie Ihre Talente, um anderen und sich selbst die Arbeit zu erleichtern. Manchmal reicht es schon, in hektischen Zeiten ruhig und gelassen zu bleiben. Und Sie können auf einfache, aber wirkungsvolle Weise helfen, indem Sie eine neue Kollegin oder einen neuen Kollegen unter Ihre Fittiche nehmen.

Für **Ruth** zählt es zu den schönsten Aufgaben an ihrem Arbeitsplatz, neue Angestellte mit den Arbeitsabläufen vertraut zu machen. Sie liebt es, anderen etwas beizubringen.

## Beim Spaßhaben helfen

Wenn Sie Sport treiben oder regelmäßig einer bestimmten Freizeitbeschäftigung nachgehen, finden sich eventuell auch hier Möglichkeiten, anderen etwas zu geben. Wenn Sie Mutter oder Großmutter sind, können Sie beispielsweise ein Picknick organisieren oder mit Ihren Kindern oder Enkelkindern Reisen oder Ausflüge in den Zoo oder ins Kino unternehmen. Falls Sie keine eigene Familie haben, könnten Sie etwas für die Kinder von Freunden oder Nachbarn auf die Beine stellen – ein Sportturnier, einen Talentwettbewerb oder eine Ausstellung mit Bildern der Kinder. Oder Sie laden ältere oder einsame Menschen ein, etwas gemeinsam mit Ihnen zu unternehmen.

**Mary** hat in ihrem Beruf als Lehrerin eine Menge Erfahrungen in der Arbeit mit Kindern gesammelt. Diese Erfahrungen nutzt sie auch außerhalb der Schule, indem sie ihren Freunden und Verwandten hin und wieder einen

„kinderfreien Nachmittag“ verschafft. Sie nimmt dann die Kinder mit in den Zoo oder richtet ein Picknick aus. Diese Unternehmungen machen Mary und den Kindern viel Spaß, und Mary genießt es, etwas für andere tun zu können.

## Geben im erweiterten Wirkungskreis

Wenn Sie den Ehrgeiz nach einem größeren Wirkungskreis verspüren, sehen Sie sich in Ihrer weiteren Umgebung nach Möglichkeiten um. Vielleicht gibt es Interessenverbände oder Hilfsorganisationen, denen Sie sich anschließen möchten.

### Möglichkeiten in der Gemeinde

Jede Gemeinde bietet Hilfsprogramme an, in denen möglicherweise gerade Ihre Talente und Fähigkeiten gefragt sind. Eine Vielzahl von sozialen und beruflichen Verbänden ist dankbar für jede Unterstützung, die Sie ihnen geben können. Sie können beispielsweise allein erziehenden Müttern helfen, als Mentorin für junge Berufseinsteigerinnen auftreten, sich in der Lokalpolitik, in Kulturverbänden oder in Ihrer Kirchengemeinde engagieren oder sich für Kinder, Obdachlose oder alte Menschen einsetzen. Bringen Sie anderen Leuten bei, was Sie gelernt haben, oder bringen Sie Ihr Wissen ganz direkt in ein Projekt ein, das Sie interessiert. Viele Hilfsprogramme bieten Fortbildungskurse für neue Mitarbeiter an. Während Sie herausfinden, was Sie anderen zu geben haben, eröffnen sich Ihnen unzählige Möglichkeiten, Ihre Talente und Begabungen sinnvoll einzusetzen.

ANDEREN MÜTTERN HELFEN. Wenn Sie selbst Mutter sind, wissen Sie, welche Hilfe Sie hätten gebrauchen können, als Ihre Kinder klein waren. Vielleicht können Sie sich vorstellen, Kurse, einen Service oder bestimmte Produkte speziell für Mütter anzubieten. Natürlich können Sie auch einer anderen Mutter anbieten, ihr Kind für eine Weile zu betreuen, mit ihm auf den Spielplatz zu gehen oder ihm vorzulesen, damit sie ein bisschen Zeit für sich bekommt. Oder Sie helfen Nachbarskindern mit Lernproblemen.

Als ihre Kinder zur Schule gingen, hat sich **Ruth** sehr stark im Lehrer-Eltern-Ausschuss engagiert. Sie hat bis heute Kontakt zu vielen der jüngeren Mütter, die sie seinerzeit beraten hat, und sie freut sich bis heute, wenn andere Mütter sich mit ihren Fragen an sie wenden.

POLITISCHES ENGAGEMENT. Kennen Sie die Probleme innerhalb Ihrer Gemeinde? Wenn Sie sich in der Lokalpolitik engagieren, können Sie eine Menge bewirken: Ihr Wohnviertel vor dem Verfall bewahren, den Umweltschutz fördern, sich für mehr Grünanlagen einsetzen, Bedürftigen helfen oder Vorschläge zur Senkung der Kriminalitätsrate konzipieren. Sie können ehrenamtlich im Stadtrat arbeiten, an Stadtratssitzungen teilnehmen oder für eine Initiative oder eine Partei arbeiten, an die Sie glauben.

Seit **Sally** begonnen hat, außer Haus zu arbeiten, fallen ihr die Probleme innerhalb ihrer Kommune verstärkt auf. Sie hat sich für die Interessen ihrer Gemeinde stark gemacht und ihre Nachbarn über einige Missstände aufgeklärt. Außerdem hält sie Kontakt zur Kommunalverwaltung, wo sie alle Informationen bekommt, die sie braucht, um sinnvoll helfen zu können. Gemeinsam mit ihren Nachbarn hat Sally durchgesetzt, dass die Straße hinter ihren Häusern in eine Einbahnstraße umgewandelt wurde, wodurch sich sowohl der Lärm als auch das Unfallrisiko für die Anwohner reduzierte. Ihre Nachbarn haben sich äußerst kooperativ gezeigt und schätzen Sallys Engagement und Organisationstalent.

SOZIALE, RELIGIÖSE UND SONSTIGE HILFSORGANISATIONEN. In fast jeder Stadt gibt es von Kirchen, Moscheen oder Synagogen betreute Hilfsorganisationen, Wohltätigkeitsverbände wie das Rote Kreuz oder die Heilsarmee und zahlreiche Jugendverbände. Wenn Sie bereits Verbindung zu einer dieser Organisationen haben, können Sie Ihre ehrenamtliche Mitarbeit anbieten. Andernfalls wenden Sie sich an Ihre Gemeindeverwaltung, die Ihnen Stellen nennen wird, die an Ihrer ehrenamtlichen Arbeit Interesse haben dürften. Sehen Sie auch in Ihrer Lokalzeitung nach, ob dort Verbände oder Organisationen nach ehrenamtlichen Mitarbeitern suchen. Wenn Sie sich ein wenig bemühen, finden Sie ganz sicher einen Weg, Ihre Talente und Begabungen so einzusetzen, dass es sowohl für Sie als auch für andere sinnvoll und befriedigend ist.

**Karen** hat sich entschieden, ihrer Kirche etwas von dem zurückzugeben, was ihr dort an Unterstützung zuteil geworden war. Sie singt im Kirchenchor und nutzt ihre Erfahrungen als allein erziehende Mutter, um junge Mütter aus der Gemeinde zu beraten, die ebenfalls allein dastehen. Sie weiß nur zu gut, mit welchen Schwierigkeiten diese jungen Frauen konfrontiert sind, und kann ihnen nützliche Tipps geben, wie sie ihren Alltag besser bewältigen. Außerdem arbeitet Karen in der Suppenküche, die ihre Kirche unterhält.

MENTORING. Sie haben jahrelange Erfahrung in Ihrem Ressort und gehören möglicherweise einem Berufsverband oder einer Gewerkschaft an. Nutzen Sie diese Verbindung, um etwas von dem Können weiterzugeben, das Sie sich über die Jahre erworben haben. Sie können beispielsweise Kurse anbieten, als Mentor für Berufseinsteiger fungieren oder Informationsvorträge in Schulen halten, in denen Sie Ihren Beruf vorstellen. In meinen beiden Berufen als Psychotherapeutin und als Autorin habe ich eine Menge Hilfe von anderen erhalten. Deshalb tue ich heute alles, um diese Hilfe an Menschen weiterzugeben, die neu in diesen Berufen sind. Ich gehöre einem Berufsverband für Paar- und Familientherapeuten und einer Vereinigung für Journalisten und Autoren an; in beiden Verbänden habe ich wertvolle und hilfreiche Kontakte knüpfen können.

Wenn Sie bereits in einem Berufsverband oder einer anderen Organisation sind, können Sie etwas zum Wohl anderer beitragen, indem Sie sich beispielsweise um einen Sitz in einem bestimmten Ausschuss bemühen oder sich für ein Amt bewerben. Auf diese Weise können Sie Ihre Ideen einbringen, wie die Arbeit des jeweiligen Verbandes oder der Organisation verbessert werden kann. Sie können Ihr Fachwissen nutzen, um bei bestimmten Fragen zu helfen und wertvolle Informationen beisteuern; Sie können Redner engagieren oder Fortbildungsveranstaltungen organisieren; und Sie können sich persönlich junger Menschen annehmen, die neu in dem Beruf sind. Gerade letztere Form des Gebens kann eine große Befriedigung sein. Sie sehen junge Leute mit Ihrem Wissen und Ihrer Erfahrung zum Erfolg kommen (mit dem Wissen und der Erfahrung, die Ihnen seinerzeit gut getan hätte, hätte man sie Ihnen zugänglich gemacht). Und Sie haben die Chance, Ihre Ideen zu verwirklichen, um die Arbeit in Ihrem Beruf noch sinnvoller und lohnender zu machen.

GETEILTES WISSEN. Vielleicht möchten Sie Ihr Wissen und Ihre Erfahrungen mit speziellen Interessengruppen teilen, die es an Ihrer ortsansässigen Hochschule oder Volkshochschule gibt. Erkundigen Sie sich, wem Ihr Fachwissen über Computer, Kunst, Theater oder Fremdsprachen weiterhelfen könnte. Eventuell kennen Sie auch eine Schülerzeitung, eine Examensgruppe oder eine studentische Vereinigung, die von Ihrem Fachwissen profitieren würden. Sie werden feststellen, dass Ihr Knowhow willkommen ist, und wahrscheinlich wird es Ihnen selbst eine Menge Spaß machen, mit Schülern, Studenten oder Lehrern zusammenzuarbeiten.

**Marian** arbeitet seit längerem mit der juristischen Fakultät der Universität ihrer Heimatstadt zusammen. Während des Semesters bietet sie dort Beratungssprechstunden für Studenten an, die Gerichtsfälle mitvorbereiten. Marian macht es Spaß, den Studenten und den Klienten zu helfen.

Ehrenamtliche Beratertätigkeiten an Universitäten können ganz unterschiedlich aussehen: Sie können bei bestimmten Projekten assistieren oder direkt mit den Studenten arbeiten, um deren Karrierepotenzial zu fördern. Darüber hinaus bietet sich Ihnen hier die Möglichkeit, die neuesten Entwicklungen auf Ihrem Fachgebiet mitzubekommen, was Ihre Tätigkeit als Mentor umso wertvoller macht. Erkundigen Sie sich beim Studentenbüro oder direkt im Fachbereich, in welchen Kursen oder Gruppen Ihre Unterstützung gebraucht wird.

Über Familie, Freunde oder Behörden finden Sie Gelegenheiten, um mit Hilfe Ihres Wissens und Ihrer Erfahrung etwas von dem zurückzugeben, das Sie empfangen haben. Außerdem kommen Sie so mit Menschen in Kontakt, die Ihre Interessen teilen – am Ende werden Sie wahrscheinlich das Gefühl haben, weit mehr zu bekommen, als Sie geben. Egal, ob Sie in Ihrer Familie oder innerhalb Ihres engeren Freundeskreises aktiv werden, auf kommunaler oder überregionaler Ebene: Mit jedweder Aktivität helfen Sie nicht nur anderen, sondern verändern auch Ihre Welt zum Besseren.

## Überregionale Organisationen

Überregionalen Hilfsorganisationen sollten Sie sich anschließen, wenn Sie gern auf großer Ebene etwas bewegen wollen.

**Laurie** gehört verschiedenen internationalen Medizinerverbänden an. Für sie erschließen sich hier hilfreiche Informationsquellen und interessante Kontakte. Sie kann sich mit Ärzten auf der ganzen Welt austauschen. Da sie auch schon Ämter übernommen hat, kennen sie die anderen Mitglieder.

Innerhalb großer Organisationen gibt es meist Stipendien, Förderprogramme oder sonstige Angebote, die Sie vielleicht mitgestalten möchten. In dem Falle sollten Sie sich um ein Amt bemühen. Sie werden sehen, dass die Mitarbeit in überregionalen Organisationen Hilfsmöglichkeiten bereit hält, von denen Sie zuvor nicht einmal geträumt haben.

Falls Ihnen bestimmte Probleme auf der Welt besonders am Herzen liegen, sollten Sie Kontakt zu internationalen Hilfsprogrammen oder Wohltätigkeitsverbänden aufnehmen. Durch Übernahme ehrenamtlicher Arbeiten lernen Sie die anderen Mitglieder kennen und sichern sich langfristig Unterstützung für Ihre Ideen und Pläne.

## Nehmen durch Geben

Amerikanische Studien haben ergeben, dass ehrenamtliche Tätigkeiten nachweislich einen positiven Einfluss auf die Gesundheit ausüben. Freiwillige Helfer berichten übereinstimmend, zufriedener mit ihrem Leben zu sein und sich gesundheitlich besser zu fühlen. Es hat also eine Menge Vorteile, etwas von der eigenen Zeit für andere zu opfern – vorausgesetzt, man vergisst darüber nicht die eigene Gesundheit. Es gibt zahlreiche Möglichkeiten, wie Sie etwas von dem zurückgeben können, das Sie in Ihrem Leben bekommen haben. Ob Sie nun in Ihrem unmittelbaren Umfeld oder innerhalb einer internationalen Organisation tätig werden – die Hauptsache ist, dass das, was Sie tun, Ihrer Persönlichkeit und Ihren Talenten entspricht.

Bleiben Sie Ihrem Lebensziel treu. Sobald Sie wissen, was genau Sie geben möchten und welche Wirkung Sie zu erzielen hoffen, behalten Sie dieses Ziel vor Augen. Sie werden sehen, welche Möglichkeiten sich Ihnen bieten und welche Menschen Ihnen helfen können, Ihre Pläne zu verwirklichen.

Ob Sie Ihrer Familie etwas zu geben haben, Ihrer Gemeinde oder Ihren Berufskollegen – auf jeden Fall wird der Effekt sein, dass Sie am Ende von Menschen umgeben sind, die sich für Ihre Sache interessieren. Durch Ihr Engagement schaffen Sie um sich herum eine Atmosphäre, in der es sich angenehmer arbeiten und leben lässt. Was immer Sie geben, verleiht Ihrem Leben Sinn und bereichert Ihre Erfahrungen.

## Schlussbemerkung

Dieses Buch soll Ihnen helfen, die Jahre nach Ihrem vierzigsten Geburtstag zu glücklichen und produktiven Jahren zu machen. Sie haben erfahren, wie Sie die Veränderungen meistern können, die in der zweiten Hälfte des Lebens auf Sie zukommen. Mit diesem Wissen können Sie Ihre Zukunftsträume Wirklichkeit werden lassen. Sie werden Ihre Entscheidungen bewusster treffen, weil Sie Zutrauen in Ihre Kompetenz haben, den richtigen Weg für sich zu erkennen.

Mit diesem Zutrauen fällt es Ihnen künftig leichter, Ihre Methoden der Entscheidungsfindung auf verschiedene Situationen anzuwenden. Die Veränderungen, die die meisten Frauen in dieser Phase ihres Lebens durchleben, müssen nicht verwirrend oder beängstigend sein. Wenn Sie wissen, wie Sie die richtigen Entscheidungen für sich treffen, begegnen Sie jeder neuen Situation mit Zuversicht. Von jetzt ab übernehmen Sie die volle Verantwortung für Ihre Zukunft. Und Sie sollten Ihr Wissen und Ihr Selbstvertrauen nutzen, um Ihr Leben so angenehm und sinnvoll wie möglich zu gestalten.

Seien Sie kreativ, geben Sie Ihr Wissen weiter, dann werden andere und Sie selbst erkennen, was für eine wertvolle Persönlichkeit Sie sind. Wenn Sie kluge Entscheidungen treffen und Ihre Selbstkenntnis nutzen, um Ihr Leben zu dem Leben zu machen, das Sie sich wünschen, dann wird sich darin alles widerspiegeln, was Ihre Persönlichkeit ausmacht. Wohin auch immer Sie aufbrechen – wenn Sie kluge Entscheidungen treffen, liegen Ihre besten Jahre noch vor Ihnen.

# Über die Autorin

Tina B. Tessina verfügt über rund 25 Jahre Erfahrung als Ehe- und Familientherapeutin. Insbesondere in ihrer Heimat USA hat sie sich als Bestsellerautorin etabliert und ist durch zahlreiche Fernsehauftritte einem breiten Publikum bekannt. Sie hält Vorträge zu den verschiedenen Themen ihrer Bücher und ist darüber hinaus workshopaktiv.

# Bibliografie

## Bücher

Branden, Nathaniel: Honoring the Self. The Psychology of Confidence and Respect. Bantam Books, London 1985

Brock, Henry S.: Your Complete Guide to Money Happiness. Legacy Publishing Co. Inc., New York 1997

Campbell, Joseph: The Power of Myth. Anchor Books, London 1991

Csikszentmihalyi, Mihaly/Csikszentmihaly, Isabella S.: Die außergewöhnliche Erfahrung im Alltag. Die Psychologie des Flow-Erlebnisses. Klett-Cotta, Stuttgart, 2., veränderte Auflage 1995

Hay, Louise L.: Heile dein Leben. mvgVerlag, Landsberg/München, 5. Auflage 1997 (vergriffen)

Hoff, Benjamin: Tao Te Puh. Das Buch vom Tao und von Puh dem Bären. Synthesis, Essen, 12. Auflage 2001

Isaacs, Florence: Toxic Friends, True Friends: How Your Friends Can Make or Break Your Health, Happiness, Family and Career. William Morrow & Co., New York 1999

Jibrin, Janis: The Unofficial Guide to Dieting Safely. Hungry Minds, Inc., New York 1998

Katz, Lawrence C./Manning, Rubin: Neurobics – Fit im Kopf. 83 Übungen zur Leistungssteigerung des Gehirns. Goldmann, München 2001

Larson, William: No More 9 to 5: What to Do When You Can't Find a Job, Don't Want a Job or Are Unhappy with the Job You Have. Life Success Systems, Bellingham 1985

Maurine, Camille/Roche, Lorin: Meditation. Geheimnisse für Frauen. Entdecken Sie Leidenschaft, Freude und inneren Frieden. Goldmann, München 2002

Milano, Carol: Hers: The Wise Woman's Guide to Starting a Business on $ 2.000 or Less. Allworth Press, New York 1997

Moore, Thomas: Fenster zur Seele. Wer wir sind, was wir sein können. Kösel, München 2001

Nelson, Miriam E.: Starke Frauen bleiben jung. Umschau Buchverlag, Frankfurt am Main 1998

Ornish, Dean: Die revolutionäre Therapie: Heilen mit Liebe. Krankheiten ohne Medikamente überwinden. Goldmann, München 2001

Perry, Susan K.: Writing in Flow: Keep to Enhanced Creativity. Writer's Digest Books, Cincinnati 2001

Podjasek, Jill: The Ten Habits of Naturally Slim People. Contemporary Books, Lincolnwood 1998

Roizen, Michael F.: Real Age – Werden Sie so jung, wie Sie sein könnten! Das Anti-Aging-Erfolgsprogramm. Mit Selbstcheck und Aktionsplan. Mosaik, München 2001

Roth, Geneen: Gönn dir, was dir gut tut. 50 Tips, sich alle Diäten zu ersparen. Herder, Freiburg, 2. Auflage 2001

Sinetar, Marsha: Elegant Choices, Healing Choices. Finding Grace and Wholeness in Everything we Choose. Paulist Press, Mahwah 1989

Sinetar, Marsha: Ordinary People as Monks and Mystics. Lifestyle for Self-Discovery. Paulist Press, Mahwah 1986

Stephens, Autumn (Hrsg.): Das ABC der bösen Mädchen. Starke Sprüche für freche Frauen. Marion von Schröder, München 1999

Stephens, Autumn (Hrsg.): Rote Lippen, scharfe Zungen. Ein Poesiealbum für böse Mädchen. Econ, München 1999

Tessina, Tina/Williams, Elizabeth F.: 10 kluge Fragen, die Frauen sich stellen, wenn sie an die Zukunft denken. Scherz, Bern/München 2002

## Zeitschriftenartikel

Kim Clarks, „The New Midlife“, U.S. News & World Report, März 2000

Robert Epstein, „Stress Busters“, Psychology Today, Bd. 33, März/April 2000

Dalma Heyn, „Why Girls Don't Wanna Have Fun", New Woman, Juni 1995

Jennifer Parris, „Career and Money News", New Woman, Januar 1998

Carol Putnam, „My Selves in the Mirror", In Context, Sommer 1985

Michele St. George, „Practice Makes Imperfect", Mature Outlook, Bd. 17/2, April 2000

Earl Ubell, „Eat Wiser, Live Longer", Parade, 25. Oktober 1987

United States Government, National Vital Staistics Report 13, Dezember 1999, Bd. 47, Nr. 28

Sabina White, „Laughter Workshops", Omni, Oktober 1993

# Stichwortverzeichnis

F